国家出版基金项目
NATIONAL PUBLICATION FOUNDATION

《三联经典文库》

第二辑

2012 年国家出版基金项目

三联经典文库

145

中国的建设问题与人的训练

卢作孚　著

生活·讀書·新知 三联书店

图书在版编目(CIP)数据

中国的建设问题与人的训练 / 卢作孚著. -- 北京：
生活·读书·新知三联书店, 2014.1
（三联经典文库第二辑）
ISBN 978-7-108-04610-9

Ⅰ. ①中… Ⅱ. ①卢… Ⅲ. ①政治－训练－中国－民国
Ⅳ. ①D693.63

中国版本图书馆CIP数据核字(2013)第151363号

145 中国的建设问题与人的训练

责任编辑	樊燕华
封扉设计	蔡立国
责任印制	常宁强
出版发行	生活·讀書·新知 三联书店 (北京市东城区美术馆东街22号)
邮　　编	100010
经　　销	新华书店
印　　刷	北京鹏润伟业印刷有限公司
版　　次	2014年1月北京第1版　2014年1月北京第1次印刷
开　　本	787毫米×1092毫米 1/32　印张 4.75
字　　数	63千字
定　　价	18.00元

《三联经典文库》出版缘起

适逢生活·读书·新知三联书店八十华诞，为弘扬传统，接续文脉，回报读者，服务社会，我们决定策划出版《三联经典文库》。

1932 年 7 月，生活书店在上海创办，此后，读书出版社和新知书店相继成立。本文库第一辑、第二辑所选图书，来自于这三家出版单位及其分支机构，以及 1948 年生活·读书·新知三联书店成立后的出版物，始于 1932 年，截至 1951 年，两辑各一百种。此为第二辑，涉及政治、经济、社会、军事、思想文化诸领域，涵盖专著、文集、散文、小说、诗歌、传记、报道等体裁，既有直面现实、追求真理、讴歌真善美、抨击假恶丑的原创作品，又有引介世界各国先进文化、传播新知、开启民智的迻译之作，真实记录了那一代知识分子的思考与探索、理想与愿景和对中华民族文化传承与创新所做出的努力与贡献。

本文库所辑入各书，多为名家名作，在版本方面，以初版一印本或经著译编者审定、修订、增订过的版本为首选，因此本文库又具有较为珍贵的版本价值和收藏价值。

本文库还将编选续辑，使之成为恢弘文化工程。诚挚希望读者给予批评和指正，帮助我们完善编选工作，再现三联经典作品之风采。殊为遗憾的是，由于年代久远，一些原著译编者及其后人未能取得联系并奉付稿酬，诚盼版权所有者与我们联系。祈愿三联前辈所创造的精神财富能薪火相传，为中华文化的伟大复兴增光添彩。

《三联经典文库》编辑委员会

2013 年 8 月

凡　例

一、本文库为重排本，由繁体字竖排版改为简体字横排版。

一、以忠实于原作、整旧如旧为编辑原则，对当时使用的专有名词、外文译名，以及民国时期的语言和特色予以保留。

一、原书注释如旧，编者所出的注释，均以“编者注”标明，以示与原书注释的区别。

一、对原书残缺或字迹漫漶之处，以□示代。

一、对繁简文本转换时的“如右”、“见左”一类，对应改为“如上（前）”、“见下（后）”。

一、对原书中各种错讹脱衍之处，直接订正，不再以其他符号标示。

一、对数字、标点符号的用法，在不损害原文语义的情况下，做必要的规范。

一、本文库各书均前插原书书影、原书版权页和文库版“本书出版说明”。

一、本书出版说明的撰写，以客观中立为原则，扼要介绍本书的内容、版本流转、著译编者的情况。

本书出版说明

本书收录了卢作孚写于1933年左右、先后发表于《大公报》、新加坡《星洲日报》等报刊的十二篇文章。在本书中，作者以近半的篇幅专文论述中华民族在复兴大业中所面临的困难，指出“中国的根本办法是建国不是救亡；是需要建设成功一个现代的国家”，具体来说是在国防、交通、工业、农业、科学文化以及教育等方面的建设，“然而建设现代的集团生活更是建设一切事业以至于整个国家的根本”。围绕这一观点，作者从历史及现实的角度出发，先是指出中国人的国民性之于成就现代集团生活的障碍，随后通过三个乡村建设中的试验来阐述创造集团生活的可能性。在本书的其他文章中，作者通过在其所办实业中贯彻自己的强国理念，以及在嘉陵江三峡的乡村建设实践中的亲身经历，更加具体地论述了企业文化的塑造，个人、企业与国家和社会的关系，企业对于社会的责任等问题。综观本书，可以感受到作者作为爱国实业家对国家现代化的热切希望，以及为此做出的扎实努力，同时也使我们看到民国时期中国的乡村建设以及乡村自治状况，以及民间社会的发育程度。

本书由上海生活书店初版于 1934 年 10 月，1937 年 3 月又印行了第三版。此次出版，即以第三版为底本。

卢作孚（1893-1952），重庆人，原名魁先，别名卢思，实业家，社会改革家。早年加入同盟会并参加四川保路运动。辛亥革命失败后，投向以教育和实业救国道路，于上世纪二三十年代先后创办航运、纺织、煤矿、铁路等实业，尤为创办民生实业公司和主持重庆北碚乡村建设著称于世。抗战初期，临危受命为国民政府交通部次长，指挥了著名的宜昌大撤退，将当时滞留在宜昌的军工物资以及人员运送至四川，为国家保住了重要的工业命脉，为抗日战争作出了卓越贡献。1950 年从香港返回内地。1952 年在家中自尽。

生活·读书·新知三联书店

2013 年 8 月

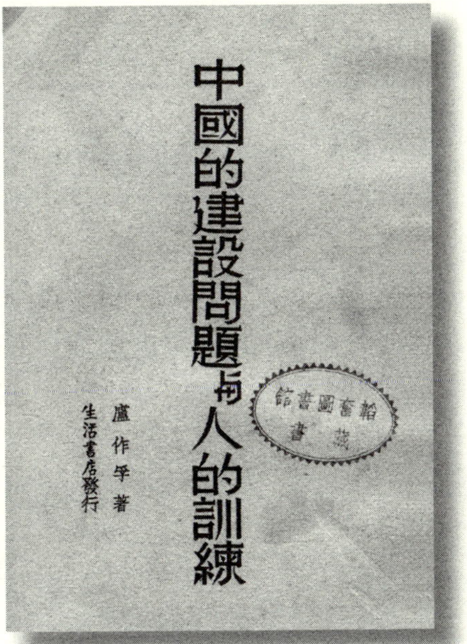

读书生活出版社 1937 年 3 月版书影

中國的建設問題與人的訓練

每冊實價叁角伍分
外埠酌加寄費

著者　盧作孚
發行者　生活書店　上海福州路第三八四號
印刷者　生活印刷所

中華民國二十三年十月初版
中華民國二十六年三月三版

中宣會圖書雜誌審查會審查證審字第二一七號

原书版权页

目次

序

这一本小册子是同杜重远君讨论社会问题时偶然商定交与生活书店印行的。搜集了最近两年的论文刊登在报纸或各种刊物的凡十二篇。《建设中国的困难及其必循的道路》、《什么叫做自私自利》、《中国的根本问题是人的训练》、《从四个运动做到中国统一》四篇，曾经交与《大公报》登载。《我们的要求和训练》一篇，曾经专印了一本最小的册子，分送各个事业当中工作的人员。《南洋华侨的两个工作》是应朋友为星加坡《星洲日报》征求星期论文而作的。《前瞻后顾的两段论》、《民生公司的三个运动》、《航业为什么要联成整个的》是为民生实业公司的半月刊《新世界》作的。《四川嘉陵江三峡的乡村运动》是应中华书局教育界征求而作的。《〈工作周刊〉所贡献的和所贡献于〈工作周刊〉的》是为了江巴璧合峡防团务局和中国西部科学院共同主办的《工作周刊》发刊时作的。《工作的报酬》曾经登于《新生周刊》。

介绍的是我们从工作中发现的问题，亦是我们工作时根据的原则。偶有所得，不敢自是，亦不敢自私；谨以贡诸全国有心人参考和批评。但令错误得所指正，所偶试验的非办法而将因此引出办法来，便是我们望外的结果了。

卢作孚　二三、八、二十六于上海。

建设中国的困难及其必循的道路

一　中国人的两重社会生活

中国目前感受了极大的困难，我们很容易猜想这困难的问题是日本侵略问题，是匪乱问题，是农村破产问题……这些诚然都是当前感受着的非常困难，然而还是枝节，远不若另外一个根本问题厉害，而且是可以随着另外一个根本问题解决的。根本困难乃是从中国人的社会生活转变中感受着的，从前清变法起，没有得着适当解决的方法，一直到今天，其困难仍全然存在。

这篇文章是要提出这个根本问题——中国人的社会生活问题，并且想用方法寻出它之转变非常困难的原因来，最后还想寻出一些如何转变的方案。

如要寻出中国人的社会生活，必先考察中国的地理环境。中国是在亚洲最好的一块地方，东南有大的海洋，西有大山，北有大的沙漠，自然形成一个非常安定的世界。周围则一向都是蛮荒。而又恰在温带，土地肥沃，最适宜于农田，自然形成一个长时间的农业民族，长至于几千年。

农业民族是最安定的民族，亦是最散漫的民族。所以在历史上屡被北方游牧民族骚扰，止于去防范他们的时候多，进而去征服他们的时候则绝少。有时竟被他们征服了；然而在礼教文物上，却反将他们同化。所以在历史上我们值得自负的，到底是一个礼教文物的天下。其实这本来不足奇异，那般游牧民族僭越名分来统制了这农业民族之后，绝不能再运用游牧民族的礼教文物。我们的礼教文物原来是为了统制这农业民族积累起来的，他们当然用了这农业民族的礼教文物来统制这农业民族。

因为农业民族是最安定的民族，所以政治上的变乱常常是起于治者阶级，不问他们是宗室或是外戚，是宦官或是权臣，事变是内起于朝廷或外起于藩镇，要皆是起于治者阶级的本身。而被治的农民却常苟安于安居乐业的状态之下，除非是不容安居乐业了，事变是不会起于民间的。

因为农业民族的经济单位非常简单，简单到一个经济单位只需要一个家庭，所以农业民族的社会生活就是家庭生活。纵然有时超越了家庭的范围，然而亦是由家庭的关系扩大的。第一扩大为家族的关系；第二是由父的家族母的家族联络而为姻戚的关系；第三是由家庭的接近而为邻里的关系；第四是由个人以至家人的往来而为朋友的关系；综合起来：家庭生活是中国人第一重的社会生活，亲戚、邻里、朋友的关系是中国人第二重的社会生活。这两重社会生活集中了中国人的要求，范围了中国人的活动，规定了社会上的道德条件，政治上的法律制度。这两重社会生活是中国社会问题的两重核心，所以尤其是这篇文章讨论的中心。

人每责备中国人只知有家庭，不知有社会；实则中国人只有家庭，没有社会，家庭就是中国人的社会。就农业言：一个农业团体是一个家庭。就商业言：外面是商店，里面就是家庭。就工业言：一个家庭里边安了几部织机，便是工厂。就教育言：旧时教散馆的是在自己家庭里，教专馆的是在人家家庭里。就政治言：一个衙门往往就是一个家庭，一个官吏来了，就是一个家庭来了。天下是在一个家庭管有之下的。皇帝大崩，太子可以就位，太后亦可以听政。可见得一切社会生活——无论其为经济的、教育的、政治的——要皆以家庭为核心。

孝悌是维系家庭关系的主要道德条件，亦是一切社会的道德条件之源泉。家庭以外的社会关系必用家庭的关系去解释，用家庭的道德条件去维系。就天下说：君父、臣子，是以父子解释君臣的关系；君主、臣妾，是以夫妇解释君臣的关系。就地方言：官是父母官，民是子民，是以父母子女解释官民的关系。人臣的道德条件是要移孝作忠，为官的道德条件是要爱民如子，是用了家庭的道德条件去维持了大则天下，小则地方的关系。尊称朋友为仁兄，自称为愚弟，先生便是父兄，学生称为弟子，更可见得没有一种社会生活不笼罩以家庭的意义。

必须有强有力的社会结合，乃能产生强有力的道德定律。我们很容易明白家庭是一种强有力的社会结合，因为它是具备了其间的分子整个生活相互倚赖的条件。人从降生的时候到老死的时候脱离不了家庭的生活，尤其是脱离不了家庭的倚赖。你可以没有职业，然而不可以没有家庭。你的衣食住都供给在家庭当中。你病了，家庭便是医院，家人便是看护。你是家庭培育大的。你老了，只有家庭养你，你死了，只有家庭替你办理丧事。家庭也许倚赖你成功，却也祷祝并帮助你成功，你须用尽你的力量去维持经营你的家庭。你须为它增加财富；你须为它提高地位；你须为它建筑高大的房屋，布置美丽的花园，点缀若干华贵装饰的东西。不但是你的家庭这样仰望着你，社会上的奖惩亦是以你的家庭兴败为中心。最好是你能兴家，其次你能管家，最叹息的是你不幸而败家。家庭生活是这样以整个社会的关系包围了你，你万万不能摆脱。你为了家庭可以披星戴月，可以手胼足胝，可以蝇营狗苟，可以贪赃枉法，可以鼠窃狗偷，可以杀人越货。你为了家庭可以牺牲了家庭以外的一切，亦可以牺牲了你自己。家庭生活的倚赖关系是这样强有力，有了它常常可以破坏其他的社会关系，至少是中间一层障壁；所以要维持其他的社会关系，亦必援用了家庭关系去笼罩，去解释。

第二重社会生活——亲戚、邻里、朋友，亦是形成一种相互倚赖关系的。你要是得志的时候有提携亲戚邻里朋友的义务，你要是不得志的时候有求亲戚邻里朋友提携的权利。亲戚是包含你的家族，你由婚姻或前辈后辈同辈的婚姻所产生的直接或间接的关系；邻里是包含一村、一市、一县乃至于一省的关系；朋友是包含同学、同事、同榜及第乃至于如棠如棣种种关系。在一群无干的人中，惟有亲戚显出亲切的情谊；在一群亲戚中，惟有更直接的亲戚显出更亲切的情谊。他们不但有终身往来的关系，而且终其身有缓急时是有相互倚赖的关系。有比较可以信托的道德条件存在——虽然这道德条件只存在于亲戚间，并不存在于所在的公共事业或公共机关。所以一个机关的重要位置——尤其重要为银钱出入，每每位置亲戚或位置更直接的亲戚。因为亲戚的关系有如此的重要，乃至于儿女婚姻也许是为了发生这种关系而成立的，而不是为儿女选择配偶成立的，而不容儿女自择配偶的。在一县中同村的人显出亲切的情谊，在一省中同县的人显出亲切的情谊，在一国中同省的人显出亲切的情谊。他们不但有相互的认识和往来，尤其是有形成团结相互倚赖的关系。所以一省的某机关是某县人主持的时候，也许就是某县人盘踞的时候；一国的某机关是某省人主持的时候，也许就是某省人盘踞的时候。甚或竟以同乡会馆称那一个机关。尤其是自湘军、淮军以来，一直到今天的军队，往往是由同乡组织起来的。而所谓同乡也者，不一定要招致，往往是不惮跋涉，千里趋赴，那里得志的人们都有辗转设法安插他们的义务。在一群朋友中，同学显出亲切的情谊；在一群同学中，同班的同学更显出亲切的情谊。他们亦不但有情谊，尤其有相互倚赖帮助的关系。所以如有用人或荐人的机会，必尽量援引同学，以至于同学成了派别，在政治上、在教育上，尤其在军队上，是强有力的团结。许多军官学校是为了形成军队系统而举办，而那许多出了军官学校又进军官学校的人们亦正是为了多多发生同学关系而屡受训练。

家庭是你周围的帮助，亲戚邻里朋友又是你的家庭周围的帮助。有了亲戚邻里朋友可以救济你的困穷。你需要钱的时候，不必去仰赖银行；你需要职业的时候，不必去仰赖职业介绍所；你要避免任何困难或取得任何便利，都只须要你有亲戚邻里朋友。你如果得志，自然有许多亲戚邻里朋友会来依附，虽然你予他们以提携，他们亦很能予你以拥护。你得他们成功了一种势力，可以保证你所在的地位进展或至少巩固。于是乎所谓领袖人才都用提携亲戚邻里朋友的方式形成的团结，录用不必是人才，只问亲戚邻里朋友倚赖你的关系之亲厚。而且只要有亲厚的关系，奖励不必有功尤其是不必于社会国家有功，犯罪不必有诛，或且倒有营救的义务，任何人皆感亲戚邻里朋友相互倚赖之需要，尤其是读书人；木匠尚可赖有其手艺，车夫尚可赖有其力气，读书人则不必赖有职业上之技能，却必赖有亲戚邻里朋友之援引；其地位愈高，所仰赖之亲戚邻里朋友乃愈众，错综复杂至于不可爬梳！尤其是向所谓世家者，非常重视这种关系，直将相互帮助凛然垂为大义。

一般亲戚邻里朋友之结合是以应酬方式表现的，是在结婚、上寿、开奠等机会中表现的。凡结婚、上寿、开奠之仪式，都视为人生大事，力求其庄严，其中心意义在予亲戚邻里朋友以结合之机会，在予个人以有所表现于亲戚邻里朋友面前的机会。你为举办这样大事，可以经若干年月的筹备，可以耗若干年月的储积，甚至于可以高筑债台，再经若干年月而后偿清，或竟可以将你累死，却绝不可以不举办这婚丧大事以及寿酒的。你的亲戚邻里朋友有这样的大事，你绝不可以不去应酬；乃至于随便请你吃饭，任何时间，不需征求你的意见，你亦得去趋赴，乃至于搁下你的当前工作去趋赴。有人认为应酬是中国人无谓的事，其实是中国人的正事。中国人的社会生活，家庭以外，只有亲戚邻里朋友的关系。而这亲戚邻里朋友是赖应酬结合起来的，尤其是上流人所需要于亲戚邻里朋友的关系更密切，应酬更为重要的工作，直超越了在社会上所担负的任何工作。

从上面的分析，知道中国人只有两重社会生——第一重是家庭，第二重是亲戚邻里朋友。许多积极的道德条件都是从这两重社会生活确定的。超此范围，则社会关系虽然存在，非常薄弱；道德条件，亦都是规定在消极方面：忍耐、和睦、洁身、自爱、与世无争，都是一向社会上所称许的美德。凡涉及公共问题，则多一事不如少一事，有一事不如无一事。能干脚色正在化大事为小事，化小事为无事。政治上所一向要求的是清静无为，是与民休息，是轻徭减赋，是讼狱大息，囹圄空虚，是垂拱而天下治，是卧治。这正是中国人的社会的特点，自家庭和亲戚邻里朋友的社会生活以外，什么都不需要，所需要的只是天下太平，只是无事。

二　集团生活——社会生活的核心

我们知道支配人们的行动的是社会生活的全部。社会是有极其错综的相互倚赖关系的，有如陶瓷有需于瓷厂，磨面有需于面厂，织布有需于布厂，都是我们生活有所倚赖的社会，都在我们的社会生活范围以内，然而还不是支配我们主要行动的主要动力。支配行动的主要动力，还不是普泛的社会生活——虽然它也有支配行动的成分，而是社会生活当中的核心——集团生活。集团生活是以三种因素表现在社会上的：第一是整个生活之相互倚赖，而不是仅仅生活之某点所需；第二是集团间之悬为标准相互争夺或相互比赛；第三是因维持前两项的集团关系，有强有力的规定人们行动的道德条件。

我们知道中国人的家庭生活是集团生活，因为一家人的生活之相互倚赖是从生到死，从衣、食、住到职业、学问，不是供给自家庭，亦是得自家庭的帮助。其相互倚赖到不可分离的程度。虽然大的家庭分离了，亦分离到小的家庭而终止。这是集团生活的第一个证明。门阀比赛是中国人一向强烈的运动，刻苦地积聚财产，不肯吃、穿、享用，刻苦地教督子弟，要他十年寒窗猎得官做，都是为了门阀比赛的缘故。“隔壁张家又买田一百亩了！”可以使一乡人羡称。“隔壁李家的孩子高中了！你家的少爷呢？”可以使一家人歆动。这些都是非常明白比赛门阀的标准。选择婚姻尤其是比赛门阀的天秤，甚至于可以产生一乡的舆论。这是集团生活的第二个证明。你为了家庭可以牺牲家庭以外的一切，也可以牺牲你自己，却绝不可以不忠实努力于你的家庭；尤其是你成功了一个家庭的被倚赖者的时候，你更须得负起责任。这强有力的道德条件，甚至于可以逼你自杀而不许你脱逃的，这是集团生活的第三个证明。

我们又知道中国人的亲戚邻里朋友间的生活，是一种集团生活。因为亲戚邻里朋友间的相互倚赖亦是无条件的。任何时间都可以发生效力。只要你的亲戚邻里朋友有办法，你便可以去求他；一样，只要你有办法，他便可以来求你。你可以成功一个职业介绍所，不问人的能力；你可以成功一个银行，不问人的保证子金及还期。这是集团生活的第一个证明。亲戚邻里朋友亦自有集团生活的斗争或比赛。在政治上官僚的派别，在乡里间士绅的派别，往往都是各自成功于亲戚邻里朋友的集团，集团间的斗争非常历害。一般从结婚、上寿、开奠等机会中作亲戚邻里朋友间的集团比赛。比赛数量，某家老太太的寿筵坐上一百二十席。可以传诸一乡，为一乡人所称羡。比赛人物，其间来了某某大官，某某名宿，便为那一场筵席增了体面。人们认为结婚、上寿、开奠等是一生几回大事，正是因为在这机会中作亲戚邻里朋友的集团比赛的缘故。这是集团生活的第二个证明。你为了亲戚邻里朋友的应酬，你必得在月薪正当收入以外去寻求收入；你为了安插你的亲戚邻里朋友，你必得有局面较大的地位向上或向四围发展的机会；你如果负着这领袖的责任，你天天都可以被人包围，你都得为人踌躇、为人忙碌。你发生的亲戚邻里朋友的关系愈多，你愈不得自由。这不仅是情感作用，实有大义，实有强有力的道德条件在当中。这是集团生活的第三个证明。

人不能离开社会组织而生活。更不能离开集团组织而生活。从渔猎时代起，至工商业时代止，集团生活的方式屡有变迁，然而必有集团生活存在则绝对无变。集团生活之支配人们的行动是常常加紧了个人的努力，而又抑制了个人的要求；是常常毁坏了——至少障碍了——超乎集团生活范围的组织以集中个人之努力于其集团的要求。人没有自私于个人的，只许自私于其集团，而且堂堂正正垂为天经地义。在一个公共秩序或公共承认之下奖励其间能够尽量自私于其集团的分子，无论其为同集团的，或异集团的，或竟是敌对的集团的。

中国人同世界上任何民族一样，有效忠于其集团生活的美德，绝没有个人的自私。只其集团组织在农业生活的状态之下，只有家庭和亲戚邻里朋友，与现代已进化到工商业时代的民族有不同。他们是进化到现代的事业，而且由地方以至于国家了，中国人则尚留滞在家庭和亲戚邻里朋友的关系当中。我们常常觉得中国人个人的要求最强烈，常常有朋友来要求你培植他或帮助他，而没有社会的要求——要求一桩事业好或一个好地方，实则他个人的背后正藏着两重社会——家庭和亲戚邻里朋友——的要求在。常常觉得许多朋友忙着为个人找出路，不肯为社会——一桩事业或一个地方——找出路，实则他个人的出路背后就是两重社会——家庭和亲戚邻里朋友——的出路。常常觉得许多朋友忙着为个人增加财富，不肯努力为社会——一桩事业或一个地方——增加财富，实则他至少是为了一个社会——家庭——增加财富。中国人仍只有努力于社会的活动，没有自私于个人的活动。不过中国人的社会生活尤其是社会生活的核心——集团生活，不是一桩事业或一个地方乃至于一个国家，而是一个家庭和一群亲戚邻里朋友。整个社会有天下那样大，天下者，普天之下之谓也，是涵盖的意义，不是集团的意义。而集团生活则只有家庭和亲戚邻里朋友那样小，并没有形成一个现代的集团生活的国家。他可以效忠的地方只有家庭和亲戚邻里朋友，所以他只好效忠于家庭和亲戚邻里朋友。

三　集团生活转变的困难

假使中国人的农业生活还可以延长下去，则中国人的集团组织亦尽可延长下去。不幸而自前清起，鸦片之战、英法联军之战，中日之战、八国联军之战、无一役不失败。安南、缅甸、台湾、朝鲜失掉于前，入民国来，西藏、外蒙、东北发生问题于后。在政治上有国无防；在经济上只能享用，不能创造，不断的入超，最多时一年超过八万万元以上。周围的压迫一天比一天加紧，我们的生命一天比一天加蹙，不得不练海陆军，不得不修铁路，造轮船，不得不冶铁练钢，不得不设制造厂，不得不变法，不得不办学堂。然而这些都是新的社会生活，尤其是新的集团组织，不得不转变其原有的集团组织；不得不降低原有的家庭相互倚赖和亲戚邻里朋友间相互倚赖的关系，而产生适应现代生活的新的相互倚赖关系；不得不看轻原有家庭的和亲戚邻里朋友间的比赛标准，而提倡新的比赛标准；不得不减少原有的家庭和亲戚邻里朋友间的道德条件，而增加新的道德条件：于是乎极大的困难乃随此问题而同时产生了。对于新的集团活动一向没有训练，须待从新训练起来，而从新训练在社会间相互适应的活动，乃非常的困难。尤其是原有的集团要求，就是新的集团要求的障碍。譬比政治上有新的建设或社会上办新的事业，各有其新的要求，假如在交通上或生产上；然而所有积聚在这新的集团当中的人们，都是没有这样要求的，而一向家庭生活强有力的要求还存在，自然地仍各自忙碌于解决其家庭的生活问题，不暇顾及这新的集团的利益，而且正从这新的集团取得利益以解决其家庭的生活问题。其行动不但无由实现新的集团的要求，而且恰反破坏这新的要求了。有失败的公司，同时有成功的经理；许多政治上的人们不是去解决政治问题，而是去解决生活问题，便是很明白的例子。

那新集团的领袖无法应着新的要求集中一群人才，同时有强有力的亲戚邻里朋友的要求存在，乃适集中了一群亲戚邻里朋友，成功了亲戚邻里朋友的集团，其间分子各以家庭生活的要求消灭了新的集团的要求，于是乎训练陆军成功了北洋系，分化为直系和皖系；训练海军成功了闽系；整理铁路成功了交通系……总之，在任何新的事业之下，仍自成功了一群亲戚邻里朋友，彼此相为，而不能成功新的集团，为着事业。要建设新的事业乃至于新的国家都容易，要改变这集团组织乃非常困难。从前清变法起，直到今天，还没产出适当解决的方法来。

四　现代的集团生活

中国当前的途径非常明了，不管是社会组织抑或是物质建设，只有迈步前进，追逐现代或更超越现代，不然便会受现代的淘汰。虽然继续安眠在农业生活里，继续安眠在家庭和亲戚邻里朋友的集团生活里，是我们非常情愿的；然而周围的形势绝不容许的，至少日本两三年来的行动代表着现代给予了我们非常明白的暗示。我们要进入现代，一向的集团生活即不能不有所转变，不能不有现代的集团组织。分析起来，不能不有现代的相互倚赖关系，不能不有现代的比赛标准，不能不有现代的道德条件，不能不有现代的训练，不能不训练个人去创造现代的社会环境；同时又不能不创造现代的社会环境去训练个人。这是当前根本的问题，任何事业不能避免，虽万分困难亦是必须解决的。

现代的进化在社会方面直可以说是集团组织的进化——逐渐扩大，在未来应得是整个的世界，在现代至少是整个的国家。一方面国家正在极盛的时代，一方面许多生活要求例如文化、交通、生产的交换，亦正要求突破国家的重围而尚未能。我们可以努力的限度仍在国家范围以内。在一个国家范围内包含有极其错综复杂的无数集团组织，就社会方面说：有政治的、文化的、经济的和其他社会的；就个人方面说：有职业的、学问的、运动的、娱乐的和其他社会生活的。一个人在银行里任职员，同时亦在一个政党里任政治的工作，在一个学术团体里参加某种问题的研究，在一个运动团体里参加运动，在公园里游玩，戏院里看戏，医院里医病：这一些都是我们生活所倚赖着的。其相互倚赖的关系，从一身的周围起直到国家为止。最后是要由国家负起责任的。一个国家里有若干人失学，有若干人失业，有流行的疾病传染，有过多的死亡率，有过弱的国民体质，有不足的需要品或无法处理的生产品，有不便的交通，有较低于人的生产力，都是应由国家负起责任设法，或奖励地方，奖励团体，乃至于奖励个人设法的；这是一种新的集团组织。新的相互倚赖关系，不是家庭，不是亲戚邻里朋友，不是中国人一向的集团组织和相互倚赖关系，而是要从新创造的，而是要训练人从新创造的。

有了新的集团组织，不但是产生了新的相互倚赖关系，亦同时产生了新的比赛标准。在一个工厂中比赛工作的效率，一个学术团体中比赛新的发现或发明，一个运动团体中径赛比赛时间、田赛比赛距离和高度……。这些比赛标准，是存在于集团里的分子间的。在一个工厂的出品比赛优良，一条航线的轮船比赛快慢，一个运动场的两个球队比赛胜负，这些比赛标准是存在于两个以上的集团间的。各国的陆上交通——铁路和汽车路——比赛英里数，水上交通——轮船——比赛吨数，空中交通——飞机和飞艇——比赛架数、速度或高度，陆军比赛动员人数，比赛大炮尊数口径和射程，海军比赛兵舰只数和吨数，航行速率和航程；这些比赛标准是存在于世界最大的集团——国家——间的。以这重叠的比赛标准，集中整个社会中的人们的兴趣和活动。人们为了趋赴这种种比赛而预备，而训练，而努力，而拼命；以较我们农业生活中的比赛——家庭与家庭间、这群亲戚邻里朋友间与那群亲戚邻里朋友间的比赛——其为兴趣更浓，其为活动更紧张，几乎是举世若狂。然而新的比赛标准在尚未明了，社会风气在尚未造成以前，人们于任何新的活动是不会有兴趣的，提倡起来非常困难。成功乃端在忍受这困难以促起新活动，一直忍受到整个社会的活动竟被促起以后。

必须维持集团间的相互倚赖关系和比赛标准，自然产生了强有力的道德条件。或由国家制度上规定起来，或由社会成训上规定起来。当兵是国民的义务，企业者必忠实于所集资经营的事业，学者必虔诚于学术之研究，工程师必尽心竭力于机器之发明，分工必负责任，会议必服从多数之议决案，买卖可以预于数万里外、几个月前，在人丛中不喧嚣，买火车票依到的先后鱼贯而前；凡此活动都是产生于现代的集团生活，都是为了维持现代的相互倚赖关系和趋赴集团比赛而有的强有力的道德条件。

五　集团生活没有改变不能学现代

这现代的生活方式与我们一向的生活方式产生于另外两重集团生活——家庭的或亲戚邻里朋友的迥然不同，然而一样是集团生活，一样是由生活的相互倚赖关系、集团的比赛标准，产生了公众的道德条件，规定了人们的行为；只因为不同的集团生活才产生了不同的行为。在一种集团生活没有改变以前，是没有方法改变人们的行为的。换言之：我们在没有形成现代的集团生活，没有形成现代的生活倚赖关系、现代的比赛标准，没有产生现代的道德条件的时候，我们仍被包围于一向的两重集团生活——家庭和亲戚邻里朋友当中。仍只有一向的解决家庭生活提携并应酬亲戚邻里朋友的行动，没有方法产生新的行动。纵然产生了新的集团的招牌，亦没有方法产生新的集团的实际。乃至于屡次变更招牌，而不能变更实际。政治上最初一切学日本，间接亦许学了一些当前强盛的德国；直到“五四运动”以后，一部分聪明人觉得学错了，没有将一个中国弄好，于是学英美学德谟克拉西。闹了几年，只闹了一种空气，则又学俄国学布尔塞维克。几年之后，觉得不对，又到世界上去另外找学的。然而有一个根本问题，政治上的团体，仅仅进化到从政治的机会当中拼命维持其所集聚的或依附的一群人的利益，还没有进化到以这一群人或竟牺牲这一群人去维持所在的社会或国家的利益，这问题没有解决以前，任何国家是不会学得成功的。现代的国家有一个根本的要素，他们有国家那样大的集团组织，而我们却至今没有，只有政治团体本身那样大的集团组织。

我们认识清了中国人的社会生活尤其是集团生活之后，才能解释我们如何应付这社会的行动，无论是改良的或革命的，都有绝大的困难在我们行动的面前。这个困难不在帝国主义身上，不在军阀官僚身上，也不在土豪劣绅身上。我们要建设一个完好的国家，帝国主义诚然可以增加我们的困难，然而因为我们实有绝大的困难先自存在。至于军阀官僚土豪劣绅却正紧紧被这困难包围着，只可怜他们无法打破这重围，他们绝不是困难之源。这困难之源只在一向的集团生活——家庭和亲戚邻里朋友的相互倚赖、相互比赛，而又有强有力的道德条件。要变更这倚赖关系，要变更这比赛标准，要变更这道德条件，乃是当前绝大的困难。一个强有力的革命军人有力量打倒一切军阀，然而没有力量打倒军阀所由形成的集团组织。只要有人群，便有一群亲戚邻里朋友在各努力解决其家庭生活问题。虽然亦有人群间相为的精神——亲戚邻里朋友间相为的精神，究竟还没有明了地为所在更大的人群努力。

六　问题是在整个社会组织的改变

所以今天中国的问题是整个社会组织改变的问题，不仅是政治的问题，尤其不仅是政治当局的问题，你责备政治太坏，你回转来看看社会上有哪几桩公众的事业确办得很好。你责备政治当局自私自利，只知道照顾他们的家庭和亲戚邻里朋友，不管国家的问题；你回转来看看你自己，又是不是只照顾你的家庭和亲戚邻里朋友，不管国家的问题；不问你是做生意的，做庄稼的或任教育的，你总是未尝为了国家做任何事情的。每一个人都只知自私自利于家庭以至于亲戚邻里朋友，何独责备政治当局超越此范围以为天下绝无仅有的圣人。他们要提拔亲戚邻里朋友，是因为只有亲戚邻里朋友为着生活问题而包围他们，要求他们，乃至于为他们努力、拼命，以保障他们的地位和利益，以排除他们的敌对；但绝未尝有为国家的问题而包围他们，要求他们，同他们努力、拼命，以保障国家的地位和利益，以排除国家的敌对的。然则他们只应提拔亲戚邻里朋友于他们有帮助的人群，他们乃竟无法提拔一个国家——因为国家里面乃竟是苦于无人帮助他们的。我们只看见许多复杂的亲戚邻里朋友为了他们的利害拥护起来的领袖，绝不容易看见一国的人民为了国家的问题，或一个地方的人民为了一个地方的问题拥护起来的领袖。你如果真正帮助中华民国，不帮助一向的亲戚邻里朋友，便不会有人帮助你。亡了国的印度还会产生一个甘地，诚然因为英国政府容许了他，然而英国政府并不能产生了他。须知道那个社会一方面有管众人的闲事的甘地，一方面还有管甘地的闲事的众人。在中国原有的社会里，却是两方面都没有的。所以至少从民国以来，希望得一个理想的政治当局有二十余年了，而不容易有超越乎一般范围的理想的政治领袖以为整个国家的问题努力的，因为是没有这样的人群。虽然也偶然为了国家重大的刺激而有某种为了国家努力的人群产生，然而不久即归销沉；只有亲戚邻里朋友的人群才是长久可以支持的，尤其以家庭为核心。

于此愈证明了今天中国的问题是整个社会组织改变的问题，而不是某甲或某乙的问题。不要以为某甲或某乙打倒了，中国就不会再有问题。某甲或某乙是由一种社会组织产生的，是由家庭和亲戚邻里朋友的要求产生的。你纵然打倒了某甲或某乙，然而你并不能变更产生某甲或某乙的社会组织，野火烧不尽，春风吹又生，继起的人物还是他们一类的。如此循环的斗争，可以争到无已时。可以打倒无穷的坏人，而终于不能产生一个好人。如果你将社会组织变更了，尤其是社会的要求变更了，要求人们倚赖着一个国家生活，努力而且拼命于这个国家所悬的个人的和集团的比赛标准，尊重所悬的抑制自己乃至于牺牲自己的道德条件，则整个国家群众产生了，领袖产生了，一向的某甲或某乙自然亦没有了，何须得准备力量不断地去打倒他们呢？今天则还只有亲戚邻里朋友关系的人群和亲戚邻里朋友当中的领袖，亟待改组，亟待进步，虽小至于一桩经济的、教育的乃至于其他社会事业的组织，亦须以现代的集团生活的方式形成相互倚赖关系，个人或集团的比赛标准，抑制自己乃至于牺牲自己以为集团努力拼命的道德条件，事业才会有办法的。

七　如何发扬国人一向的美德

我们不要怀疑这样一来抛弃了中国人一向的美德，实则只改变了社会组织，向有的美德却依然存在。社会组织只是我们一种生活方法，如像划木船、驾牛车、手摇纺纱车是我们一种社会生活方法一样。变更社会组织，也如像牛车需要变成火车，木船需要变成轮船，手摇纺纱车需要变成机器纺纱厂一样。要创造或运用现代的物质文明，便要创造或运用现代的社会组织。即须由木船、牛车、手摇纺纱车时代的集团生活变成轮船火车机器纺纱厂时代的集团生活；即须由家庭和亲戚邻里朋友的集团生活变成政治的、经济的、教育的和其他现代社会的集团生活。家庭和亲戚邻里朋友仍存在于现代社会生活当中，然而不能存在于轮船火车机器纺纱厂当中。只能为了这些事业的需要集中人才去培植这些事业，不能在这些事业当中培植家庭的子弟或提携亲戚邻里朋友及其子弟。中国人一向的美德是抑制了自己乃至于牺牲了自己以为集团生活——家庭和亲戚邻里朋友；今天虽然集团生活有所转变，转变为政治的、经济的、教育的乃至于一个国家的，而抑制自己乃至于牺牲自己以为集团生活的美德，却仍然是一样需要的。不但不会抛弃了而且反会加强了。如果他们的生活集团小则变为一个经济的、教育的或社会的事业，大则变为一个国家，他们便会为了事业，为了国家，抑制自己甚至于牺牲自己。向来可歌可泣的忠臣烈妇的行动，现在便可以殉社会，殉国家；向来勤俭兴家的行动，现在便可以兴一桩事业，兴一个国家了。奖励这种美德的人群愈加众多，则这种美德之表现愈加强烈。保存国粹的人们不要以为这是忘掉根本的运动，实则这正是培植根本的运动。因为如果不将中国人的集团生活急切改组，一向的集团生活亦必蒙现代生活的影响而逐渐崩溃，一向的抑制自己，牺牲自己以为集团的美德，亦必由此而逐渐销沉，逐渐泯灭。

最危险乃正是这青黄不接的时期，原有的集团生活崩溃了，新的集团生活没有建设起来——原有的生活倚赖关系崩溃了，新的生活倚赖关系没有建设起来；原有的比赛标准崩溃了，新的比赛标准没有建设起来；原有的道德条件崩溃了，新的道德条件没有建设起来。这时简直是人欲横流，人与人间的行动冲突无法谐和，社会的秩序大坏无法调整，所以应得赶紧建设新的集团生活去维持人们一向忠于集团的美德，愈是不容徘徊了。

还有不应误会的，我们提倡了新的集团生活，无论其为职业的——在政治事业里经济事业里、或社会事业里，学术的——在学术团体里、学校里或公共图书馆里，游戏的——在球队里、音乐会里或电影院里，或更扩大而为整个地方的，整个国家的，或更以某种无国界的活动扩大而为世界的——例如万国红十字会或世界运动会；并不是这许多集团生活产生了，我们一向的家庭生活或亲戚邻里朋友的生活便崩溃了，灭绝了。一向的集团生活——家庭和亲戚邻里朋友仍然存在。一如有了整个国家的集团生活，仍自有我们职业所在的，学问所在的或游戏所在的集团生活存在一样。今天以后的集团生活，本来就是极其错综复杂的，其进化即是由简单而进化到复杂。有如今天中国的亲戚邻里朋友的关系常综合到了几万人乃至几十万人，亦是非常错综复杂的一样。不过产生了新的集团生活之后，一向的集团生活——家庭和亲戚邻里朋友——的相互倚赖关系会降低了，因为有了新的倚赖关系，更可以使人们的生活安全了；一向的比赛标准降低了，因为有了新的比赛标准，更可以集中人们的兴趣了；一向的道德条件一部分不适用的会降低了，因为有了新的道德条件是急切需要的，会树立起来，指导人们的行动了。

八　大胆创造可以战胜困难

所以提倡新的集团生活决不是洪水猛兽，无论其采温和的改良的手段或竟采剧烈的革命的手段，绝无任何危险。只一向的改革的方法都主张先破坏，这一个程序却应该颠倒过来，应该先建设后破坏。建设到哪里便破坏到哪里。最艰难乃在这一点。破坏工作非常容易；无如只训练人们破坏，幸而成功之后，却建设不起来，于是乎每每紧跟着成功之后便是失败。破坏还可以利用一向的家庭和亲戚邻里朋友间两重集团生活的弱点，使人们为了这种要求集合起来，努力拼命去干；然而为了这种要求集合成功一个集团之后，正是新的集团生活的障碍。虽然他们也曾打破了敌对方面的这样的障碍，他们本身却往往就是替代。

训练人建设新的集团生活，如已到了新的集团生活完成之后，却亦非常容易。人们的行动不是由社会环境影响起来的，便是由社会环境压迫起来的，集团生活尤其是紧紧地包围着人们的活动的社会环境。最困难乃在新的集团生活开始建设的时候。人们的行动正紧紧被一向的社会环境——家庭和亲戚邻里朋友——包围着，我们要建设新的集团生活还没有成功，还没有成功一种相互倚赖的关系可以使人信赖，还没有成功一种比赛标准可以使人趋赴，还没有成功一种道德条件可以使人尊重；而同时家庭的，亲戚邻里朋友间的相互倚赖关系还有强烈的要求，比赛标准还有强烈的引诱，道德条件还有强烈的责备，这正是训练人非常困难的时候。

困难并不是可怕的事情。困难之成为可怕的对象，原因只在我们怕它。我们只要肯用力量一直用到可以超越困难的时候，便不看见困难了。解决中国人的集团生活改组的问题，正在同样的原则之下，只要大家认清楚问题了，便可以着手干，并不需要有最高的政权，亦不需要有最大的事业，只要有了立脚的地位便有了着手的机会。你可以从一个学校里做起来，也可以从一个公司做起来；可以从一个乡村做起来，也可以从一条市街做起来。人各从其现在的地位干，是比较容易的事，因为并不需要分了精力另谋地位。如果有了若干人大胆创造，一直创造到使全国人明白这是一条道路之后，自然会全国总动员，尤其是政府当局必立刻改由这条道路将全国统整起来。因为一向只有极其错综复杂的亲戚邻里朋友相互倚赖的关系，虽然这关系逐渐扩大，终没方法扩大到整个国家。一向只运用了一群人地位的比赛和所得以解决家庭生活问题的财富的比赛，只有将公共局面弄坏；一向只有一群人彼此相为的道德条件，然而如何共同为了国家的道德条件并未能从此充分培养起来，新的中华民国即亦决不能从此产生出来。提倡新的集团生活是任何人应有的责任，不仅是政治当局的责任，任何人都可以从自己的地位提倡起来，并不需要选择更好的地位。尤其是明白现代意义的贤者，应明白选择地位是促起纷争的一个大原因，你要是于地位无所择，于道路之开辟成绩之表现则绝不让人，你终会得着人的信心和同情，得着人的帮助，至少亦得着人的容许的。你要集中你的全力于创造新的集团生活，你应得避免一切纷争。不问地位就是避免纷争最紧要的法门。

新的集团生活如何创造呢？这是我们最后的问题了。须得先引几个实在的例，然后再加以说明。

九　创造集团生活的第一个试验

十年前我们在成都创办了一个通俗教育馆。一个通俗教育馆本是一桩很寻常的事业，然而曾经借这试作一种新的集团生活的试验，颇吸引当时在成都各界朋友的兴趣，无论其为有智识的或无智识的，无论其为头脑很新的，或头脑很旧的，这却是空前未有的活动，而证明是成功的。通俗教育馆的内容是：一个博物馆，中间分为自然陈列馆、历史陈列馆、农业陈列馆、工业陈列馆、教育陈列馆、卫生陈列馆、武器陈列馆、金石陈列馆；一个图书馆中有成人图书馆、儿童图书馆；一个公共运动场中有足球、篮球、排球、网球、田赛、径赛等各种场所和设备；一个音乐演奏室中有中西音乐及京川剧演唱之组织；一个动物园；一个游艺场。所有这些设置都穿插在一些花园当中。花园各依地段异其布置，或为草坪，或为花坛，或为竹树，或为池塘，或为山丘，或为溪流。这些都是寻常的事。我们常这样说：不盼望人看我们做出来摆在地上或摆在屋里的成绩，而盼望人看我们做，看我们如何做。所有全馆的人员常常夜以继日，常常要求工作有变化，要求艺术，要求正确，要求迅速，要求集中成都各界的人们到最多的时候。尤其利用机会集中人群至每日以数万计。只要这个月你到过通俗教育馆，下一个月你再到，便觉得有些不同了；乃至于这一周你到过通俗教育馆，下一周你再到便觉得有些不同了；乃至于今晚闭馆的时候你到过通俗教育馆，明晨你再到，便觉得有些不同了。我们以一天改换了新的桥梁，以一夜改换十个陈列馆的陈列品，以几天堆了一座山，以十几天完成了一座房屋。馆里的职员以至于泥木石工人常常这样紧张地工作着，要求工作的表现能够吸引而且集中了成都市的人，尤其是在一个节令以前的布置，是要几个白天夜晚不睡觉的。职员之用尽全力于通俗教育馆，忘却了他们自己还不算希奇；那许多泥木石工人继续工作一年有余，直视馆里如家庭，虽然外间待遇比馆里加高了，亦不忍离去，可见他们浓厚的感情。博物馆里常常开古物展览会、中国画展览会，西洋画展览会、金石展览会、货币展览会、卫生展览会、革命史展览会……运动场常常开运动会、球类比赛、脚踏车比赛、团体操表演，音乐演奏室常常开中西乐演奏会，游艺场常常演新剧、川剧、京剧、幻术，常常为卫生运动、教育运动而公开地放电影，花园里每年必开菊花会；这样一来不仅将成都游览的人集中了，尤其将成都各方面的人才集中了。为了轮船、火车、机器的模型，池中喷水而集中了机器工程师；为了建筑房屋、道路、桥梁、堤岸而集中了建筑和土木工程师；为了运动会及运动指导而集中了体育专家；为了音乐演奏而集中了西乐、中乐专家；为了游艺会而集中了川剧、京剧的票友和新剧的演员；为了展览古物集中了古物专家，展览图书集中了美术专家；为了园艺集中了农业专家，集中了花园的主人和工人；为了卫生运动，尤其是普遍种痘，集中了中外医生；为了饲养动物集中了兽医；几乎凡在成都的朋友有一技之长的，都被我们集中了。常常在集合他们开会，集合他们工作，集合他们表演；这是一个集团生活的试验，亦是一个集团生活的运动。虽然因为事业是寄托在政治上，不能造起生活的相互倚赖关系；又因为时间短促，只有一年又半，未见得确立了新的道德条件；然而已有了强烈的新的比赛标准完全在穿的、吃的、房屋、财产乃至于结婚、上寿、开奠之外，使各种集中的人才都在社会上有充分的表现。集中了社会上多数人们的欣赏，取得多数人们的喝彩；许多认识和一向不认识的、有一技之长的，都兴高采烈地愿趋赴这成都向来没有的比赛；任何时到过通俗教育馆的人们，都对这一个新的公共事业发出了深厚的感情：这新的集团生活的试验证明了是可以成功的，而且三个条件只须有了比赛标准一个条件，时间只须一年又半。

十　创造集团生活的第二个试验

因为纷乱的政治不可凭依，我们从社会上作第二个试验了，以嘉陵江三峡为范围，以巴县的北碚乡为中心。始则造起一个理想，是要想将嘉陵江三峡布置成功一个生产的区域，文化的区域，游览的区域。因为这里有丰富的煤产，可以由土法开采进化而为机器开采；为了运煤可以建筑铁路；为了煤的用途可以产生炼焦厂，用低温蒸馏可以产生普通用焦，电厂用的瓦斯，各种油类及其他附产品；两个山脉的石灰岩石，山上山下的黄泥，加以低廉的煤炭，可以设立水泥厂；为了一个山脉产竹长亘百余里，可以设立造纸厂；为了许多矿业、工业、交通事业的需要，可以成立电厂；如果在那山间水间有这许多生产事业，可以形成一个生产区域。以职业的技能，新知识和群的兴趣的培育为中心，作民众教育的试验；以教生产方法和创造新的社会环境为中心，作新的学校教育的试验；以调查生物——地上的出产、调查地质——地下的出产，又从而分析试验，作科学应用的研究；并设博物馆、图书馆、植物园、动物园以供参考或游览。如果在那山间水间有这许多文化事业，可以形成一个文化区域。凡有市场必有公园，凡有山水雄胜的地方必有公园，凡有茂林修竹的地方必有公园，凡有温泉或飞瀑的地方必有公园，在那山间水间有这许多自然的美，如果加以人为的布置，可以形成一个游览区域，这便是我们最初悬着的理想——一个社会的理想。

于是乎我们先后寻求人才了。寻求担任公园布置的，寻求担任警察训练的，寻求担任民众教育的，寻求担任学校教育的，寻求担任金融事业的，寻求担任工厂管理的，寻求担任科学研究的，从成都到上海，从四川各事业到国内各学术机关；因为事业之待创造，经费之无着落，寻求人才非常困难，然而因此乃竟得着许多支持困难的骨干，打破了无数困难的关头，以成立了许多事业，提携了许多事业前进。一向的亲戚邻里朋友的人群是往往牺牲了社会以解决自己的生活问题，而这一个创造社会的人群，却都忘掉自己的一切以创造这一个社会。

于是乎我们先后训练青年了。训练青年的中心意义是要让他们充满了社会的要求，社会的理想，社会的活动；要求他们都非常明白现在世界的趋势，中国的困难，而且都非常明白理想的三峡而要求实现它。他们都受严格纪律的训练，都经社会服务的实习，都随时在社会服务上相互帮助，都历经险阻，尤其是吃尽苦头。先后训练了学生第一队、第二队，分配在团练各队和各事业服务；训练了少年义勇队一队，分配在学术机关和各事业服务；训练了特务学生队一队，分配在特务各队和各事业服务，现在又正训练少年义勇队一队，预备分配到各事业服务。此外各事业委托训练和随时增加的青年还不在此数。他们虽然分到各队各事业服务，而他们自晨早起床，至夜晚睡觉仍然充满了社会的生活内容。晨早起床之后，集中到运动场各依排列的运动程序运动一小时；早餐后，开始工作；直到午后完结的时候，则又集中到图书馆依所分配研究的问题读书两小时；如还有余裕时间，仍自由运动或休息；夜间，都分头去担任民众教育，或民众娱乐，或整理一日的工作或再以余暇时间自由读书。他们运动有分类比赛的运动会，读书有挨次报告的读书会，工作有各机关挨次报告的周会。各有比赛的标准，各有公众的讲评，他们每天生活有日记，每机关办事有日记，每周有周报，每月有月报。他们工作的整理每日有局部会议，每周有主任联席会议，有全体职员会议。他们在那里不是亲戚邻里朋友的集团，另外有一种生活的相互倚赖关系、比赛标准和道德条件，是他们的行动所趋赴的。

于是乎先后经营各种事业了：温泉有公园，北碚有公园，运河有公园，凡有隙地必有园林；峡防局则有各特务队，驻在北碚市镇，北川铁路沿线，夏溪口以至于矿山；他们有团练的任务，有警察的任务，有民众教育的任务，有帮助地方建设的任务；有手枪队，有事帮助周围捕匪，无事则帮助各机关服务；有民众教育办事处，在办事处领导之下有民众学校，依职业的种类和集中的便利而有不同的教育，有挨户教育，有场期教育，有力夫学校，有船夫学校，有民众问事处，有职业介绍所，有书报阅览室；在各茶社酒店有各种通俗图画、照片和新闻简报，有新智识广播，有民众娱乐场——娱乐事项有新剧、川剧、电影、幻灯、跳舞、唱歌；此外有地方医院，为乡民免费治疗疾病，每年春秋两季必指导各机关乃至各队人员总动员为纵横百里间的小孩以至于成年人点种牛痘；有公共运动场，一方面联络各学校，一方面联络各事业，一方面联络市乡中之青年，使都参加运动，并参加运动的比赛；有《嘉陵江报》，由周刊进化而为三日刊，再进化而为间日刊，再进化而为日刊，最后更由石印进化而为铅印。其材料只重在积极方面，只以现代的国防、交通、产业、文化四大问题为中心，使读《嘉陵江报》的朋友都逐渐能够认识现代是一个什么样的世界；中国西部科学院有理化研究所，目前正以分析燃料为主要工作，欲帮助四川解决燃料问题；有生物研究所，地质研究所，目前正以调查、采集整理为重要工作，欲帮助四川解决一切自然开发问题；有农林研究所，目前正作造林和改良农作的试验，欲解决当前社会急切需要的粮食和木材问题；附设有一个植物园、一个动物园，附设有一个图书馆、一个博物馆，附设有一个中学校一个小学校，附设有一个染织厂；此外还有一个农村银行是要求小小帮助农民借贷和各种合作运动的，常从各方面帮助这一个区域里边新的经济事业，例如北川铁路公司、天府煤铁公司、洪济造冰厂、嘉陵煤球厂……只要它们有帮助的需要。

凡这一些事业，如果是直接经营的，绝对要求它充分实现应有的意义，绝不容许混杂一点亲戚邻里朋友的关系，绝不容许任何人员以事业为解决家庭生活的机关。虽然家庭生活问题是不断地要倚赖事业，尤其是不断地要倚赖事业的繁荣；然而那是在事业规定的方式之下被帮助的，每一个人则只努力帮助事业——不仅是一桩事业的关系，尤其是一群事业的关系。大家在那里穿是一样的，吃是一样的，房屋器用亦差不多是一样的，困穷是一样的，所有一向的家庭和亲戚邻里朋友间的财富、地位、门面装潢通通无所用其比赛了，比赛的都是工作，都是学问，都是运动或游艺，都是表现在社会上的成绩。另有一种大义，是这社会里边要求的，而不是家庭和亲戚邻里朋友要求的。他们之兴趣昂然，他们之工作紧张，他们行动之可歌可泣，乃不是一向沉陷在家庭和亲戚邻里朋友当中的人们所能领悟。一向沉陷在家庭和亲戚邻里朋友当中的人们总迷信以为人是自私自利的，只能利用人的自私自利的弱点，而忘却了家庭和亲戚邻里朋友亦正是一个社会，人只是为了社会的要求而甘愿牺牲自己，尤其是为了更大的社会；这是从我们今天的试验可以证明的。

一一　创造集团生活的第三个试验

除这第二个试验是从嘉陵江三峡着手的而外，还有第三个试验的事业是民生实业公司。所谓民生实业公司，是从一只小轮船起增加到二十八只轮船；是从合川五百盏电灯起增加到四千五百盏，而又增加了全城需要的自来水；是从一个两万元的机器厂扩充到三十万余元的机器厂；是从五千元的对外投资增加到二十万元的对外投资；是从八千元资本增加到了一百十六万余元的资本。仍然是一个小的事业，但是一个要求有意义的事业，是要求这事业的一切完全成为现代的。要求每一个人解决事业的问题，从轮船上的茶房水手起，从工厂的小工起，以至于各级职员工人，无一个不为事业努力。他们之在公司中是一群工作的分子，不是一群亲戚邻里朋友；他们之到公司都是凭自己的能力，不是家庭和亲戚邻里朋友的关系。事业之要求他们努力乃加强于他们家庭和亲戚邻里朋友的要求。一方面促起他们都知道事业前途的希望，另一方面促起他们都关怀事业周围的困难和危险。是要以团体的工作，团体的讲学和团体的娱乐乃至于一切生活包围了他们，一直要到他们的家庭。如何努力解决事业的问题，这是事业上的一群人非常恳切地要求于每个人的。至于每个人最迫切的家庭生活问题，则由事业上帮助他们解决，只须他们倚赖事业，不须倚赖他们的亲戚邻里朋友，这是我们正用全力预备的。

我们的预备是每个人可以倚赖着事业工作到老，不至于有职业的恐慌；如其老到不能工作了，则退休后有养老金；任何时间死亡有抚恤金。公司要决定住宅区域，无论无家庭的有家庭的职工，都可以住居。里边是要有美丽的花园，简单而艺术的家具，有小学校，有医院，有运动场，有电影院和戏园，有图书馆和博物馆，有极周到的消费品的供给，有极良好的公共秩序和公共习惯。凡你需要享用的，都不需要你自己积聚甚多的财富去设置；凡你的将来和你儿女的将来，都不需要你自己积聚甚多的财富去预备，亦不需要你的家庭帮助你，更不需要你的亲戚邻里朋友帮助你，只需要你替你所在的社会努力地积聚财富，这一个社会是会尽量地从各方面帮助你的；凡你有所需要，它都会供给你的。

这样的意义——个人努力地帮助社会，社会亦尽量地帮助个人——还不够；还得进一步，个人是要帮助所在的事业，使自己有显著的成绩表现在事业上；事业尤其要帮助所在的社会，使事业有显著的成绩表现在社会上；我们所要求的不是一群人之为自己，而是一群人之为更大的人群；我们所要求的不是事业的大小与他事业比赛，而是事业对于社会帮助的大小与他事业比赛。譬如民生公司的轮船一年接触到二十万人，便应亲切地帮助到二十万人；电灯自来水在四万人口的合川县城，便应亲切地帮助到四万人。虽然这一些要求在这短时间没有完全实现，这要求却是非常之明了，必须完全实现而后已。白种人做得到，黄种人亦做得到；日本人做得到，中国人亦做得到：这是我们的口号！从我们的试验也有相当的证明，这不仅是口号，而是可以实现的行动了。船上人员之拼命节省燃料，一部分周到地招待客人，甚至于让了自己的铺位；这样令人敬佩的行动，同白种人谈来，他们亦不相信。以为业务人员之能招待客人，除非是客票收入是他们自己的，不相信是涓滴必归公司的。而不知有了充分训练的中国人之能刻苦自己、牺牲自己，以为其集团生活的精神，本来在家庭和亲戚邻里朋友的生活当中就有了充分的训练，今天不过移转了方位，乃竟出乎自种人意料以外了。

一二　证明了创造集团生活是可能的

我们一面用力作现代的集团生活的试验，作超越乎家庭和亲戚邻里朋友关系的集团生活的试验，仍一面帮助周围。假如有一桩事业，有一个乡村，有一县的当局，一省的当局乃至于一国的当局，如果愿意打破家庭和亲戚邻里朋友的重围，打破一群人彼此相为的重围，以为更大的人群，建立一种现代的社会，这是今天中华民国里边急切需要创造的风气，我们可以帮助一点一滴的时候，必须用全力帮助一点一滴的。

总之，原来的集团生活——家庭和亲戚邻里朋友，是障碍了一切新的集团生活的产生。今天有许多能干的领袖，能领导原来的生活集团，然而不能解决中国的困难，尤其是根本的困难。如何促起几千年安眠的农业社会转变而为现代的社会，急切需要更强毅，更能干的人们，能够在此万分困难的环境当中，打破重围，创造新的适于现代生存的集团生活。创造新的倚赖关系，使人们在没有职业的时候，倚赖着社会训练职业的技能，并倚赖着社会介绍职业；在老的时候，倚赖着社会有相当养老的帮助；在遗族无法生活的时候，倚赖着社会有相当的抚恤；在子女没有成长的时候，倚赖着社会相当的教育；在疾病的时候，倚赖着公共的医院；在余暇的时候运动，倚赖着公共的运动场；游乐，倚赖着公共的电影院、戏场和公园。而这一些人们所倚赖着的社会，又都倚赖着人们的忠实和努力。这是新的集团生活所需要的新的相互倚赖关系，是急切需要寻求人才并训练人才去创造它的。

同时亦须有新的比赛标准。在一群事业当中必须时时公布各个事业的成绩，无论其为口头的或文字的。例如：医院增加的治愈人数，警察调查得的人口和由卫生运动所减少的死亡率，图书馆增加的读书人数，民众学校减少的文盲人数，工厂改良和增加的出品，年结增加的纯益，这都是事业的成绩，应尽量使之表现在社会上的。在一桩乃至于一群事业当中，必时时公布各个人的成绩，亦无论其为口头的或文字的。一个茶房殷勤地帮助了客人，一个看护殷勤地帮助了病人，一个教师殷勤地帮助了学生，一个乡长殷勤地帮助了乡村，无论其为事的大小，只要帮助了社会，必用力介绍到社会。尤其是要寻出表显行动在公众面前的机会。在公众面前讲演，在公众面前表演戏剧，在公众面前布置一个花园或陈设一个会场，在公众面前救了火灾或救了疾病，在公众面前御了大敌：这都是新的集团生活的比赛方法，其鼓舞人的力量常常等于万人围观的运动场上踢球或赛跑。每个人群乃至于每个人都要用全力于比赛，虽然牺牲了自己的生命亦非所顾惜，绝不是比赛门阀，比赛亲戚邻里朋友的集会所可比其热烈的。

只要新的倚赖关系和新的比赛标准成立了，新的道德条件便成立了。合于这一种倚赖关系和比赛标准的行动，便是整个社会所奖励的，要求的；不合于这一种倚赖关系和比赛标准的行动，便是整个社会所惩罚的，反对的。人之热烈的趋赴社会的奖励和要求，难堪于社会的惩罚和反对，乃是先天带来的情感；尽管有各种不同的社会和人们适应社会不同的行动，而这趋避的原则却完全是相同的。不问所有的道德条件是存在于法律制度，抑存在于风俗习惯，其奖励和要求人们的行动，惩罚或反对人们的行动，是一样有力量的。其集团组织愈大，其道德条件乃愈有力量。

我们从上面的事实和推论，可以证明在家庭和亲戚邻里朋友的关系以外，在现代的生活方式之下，建设新的集团生活是可能的。只要成功了新的相互倚赖关系，新的比赛标准和新的道德条件，便成功了新的集团生活。这工作虽然非常困难，而这困难却可以决心、勇气不断地前进、长时间的忍耐战胜。聪明的人们不应被任何困难征服，不应被家庭和亲戚邻里朋友的关系重重围困，不应用破坏新的集团组织的力量——家庭和亲戚邻里朋友的关系，去建设新的集团组织——无论其为一个行政机关、一个学校、一个公司或一个医院。聪明的人们不应爱好一时结合的人群——这人群只于亲戚邻里朋友相为，而尤各为其家庭——以求一时的成功，而使失败紧紧跟随于成功之后。不应徇人们的要求——家庭和亲戚邻里朋友的要求；几十年来，上至政府，下至人民，在交通上、产业上、教育上以及其他社会上，有许多建设被这人们的要求毁坏得没有几处剩余；一个中华民国尤其是毁坏得无法统整，尤其是值得我们猛省。因为家庭和亲戚邻里朋友的要求，就是促起小至于一桩事业大至于一个国家四分五裂，而又相互冲突的最大原因！各人只顾家庭和亲戚邻里朋友，不肯顾到大局。

一三　复兴中国只有这一条道路

中国自晚近百年余有敌国外患以来，遇战争即失败，遇外交亦失败。任何一回问题都是国家万分严重的问题，应以举国朝野上下的全力去应付。然自许多朝野上下的人士看来，并不觉得那样了不得；因为他们还有看得更严重的问题，在他们家庭间，亲戚邻里朋友间和这样敌对的集团间，视国家的关系或国家对外的关系却有相当的漠然。然亦有若干有心人士在国家遇着灾难的时候颇能作救亡的运动，然而遇一回灾难救一回亡，过此以往，又是忙着解决家庭或亲戚邻里朋友的问题的时候；如此救亡，恐怕要一直救到亡的时候。

中国的根本办法是建国不是救亡；是需要建设成功

一个现代的国家，使自有不亡的保障；是要从国防上建设现代的海陆空军，从交通上建设现代的铁路、汽车路、轮船、飞机、电报、电话，从产业上建设现代的矿山、工厂、农场，从文化上建设现代的科学研究机关，社会教育机关和学校。这些建设事业都是国家的根本，然而建设现代的集团生活更是建设一切事业以至于整个国家的根本。在现代的集团生活没有建设成功以前，是不容易看见上面那许多建设事业的，只会看出家庭和亲戚邻里朋友的关系在那里毁坏许多建设事业而已。

建设新的集团生活虽然是一切建设事业的根本，然而并不是另外一回事，正是需要从任何一桩新的建设事业上同时将新的集团生活建设起来的。新的集团生活完全表现在新的建设事业上。开始建设新的事业即须开始建设新的集团。这时一点一滴的工作，尤其是非常困难的工作，万万不能等待，万万不能等待到事业成功的时候。宁肯失败，不可运用亲戚邻里朋友间彼此相为的关系去取得事业成功的机会；因为亲戚邻里朋友间之彼此相为正是新的集团生活的障碍，也正是任何新的建设事业的障碍。纵然取得整个国家了，亦不会取得最后的成功，只会取得失败。

我们在国家危难的时候希望美国帮助或英国帮助是错误，就希望中国自己好起来亦是错误。做几篇劝告国人的文章，定几种上下遵循的法律，乃至于举国如狂地做几回对内对外的运动，亦通通是错误；好的中华民国并不是由希望可以产生的，不是由劝告可以促起的，不是由法律可以规定的，也不是由几回运动可以成熟的。不劳而获和一劳永逸，是永远不会有的事。好的中华民国只有从新的集团生活产生。建设新的集团生活在一点没有新的集团生活的环境当中，最是困难的工作。一切新的建设事业的困难，都只在建设新的集团生活一点上。必须用绝大的努力乃可以战胜绝大的困难，尤其是在着手的第一关。只要逐渐前进，新的集团生活逐渐形成——即是新的相互倚赖关系逐渐形成，使人们有了信心；新的比赛标准逐渐明了，使人们有了趋赴的兴趣；新的道德条件逐渐确定，使人们有了遵循的大义——之后，这工作自然逐渐容易。最初因为最困难，所以最缓慢，往往是急切希望中国好起来的人们所不能忍耐。然而成功正在这忍耐工夫当中，愈到后来愈快。是加速率前进的，然而必是依着步骤的，必是由工作积累成功的，不是由偶然的刺激产生的，偶然的动作成功的。尤其是最初的集团生活是一个农事试验场，必须十分精细的试验，得着显然可以比较的成绩，然后可以助帮四围的农人推广起来。

我们很盼望在许多新的建设事业当中的人们，无论其在政治方面、经济方面、教育方面或其他社会方面，无论其局面大小，愈小愈好，都从所在的机会当中作根本的建设运动，作新的集团生活的建设运动。将自己的事业当做农事试验场，将周围的事业还陷在原有的集团生活——家庭和亲戚邻里朋友——的重围当中的当做农民去帮助他们，谋新的集团生活的推广。帮助的力量所施，不问关系，只问此一点意义。纵然周围的事业在未明了此意义以前谢绝帮助，亦当多方面地而且不断地影响他们、包围他们，一直到他们接受了帮助以后。

我们觉得复兴中华民国只有这一条道路，只有运用中国人比世界上任何文明民族更能抑制自己、牺牲自己，以为集团的精神，建设现代的集团生活，以完成现代的物质文明和社会组织的一个国家，才可以屹立在世界上。你如果不满意这世界的趋势，你还可以改善它。我们要救整个二十万万人日陷于困难之境的生活，整个不安的国际局面，岂止于救中华民国之亡，这是由我们的努力最后可以期望实现的结果，并不是夸大。

什么叫做自私自利

人们每每从中国目前的病象，感觉着“中国人太自私自利”，认为是中国人的病根。诚然不错，做官人做到一国之大了，每每不顾到国计、亲民如一县之长，每每不顾到民生。他们忙着刮钱，忙着位置私人，忙着扩充势力，只知道而且只努力于“自私自利”。这都是被人们常常责骂的。不过自私自利岂是被责骂的做官人特有的精神？做官以外的人——做公众的事以外的人——更谁肯问公众的事，更谁不是做自己的事，更谁不是自私自利？茶馆里贴着条儿“休谈国事”，口头里念着要诀“各人自扫门前雪”，正都是自私自利的标语。坏人固然是自私自利，好人亦以自爱为美德。所谓自爱者，只爱自己，不爱他人之谓也。然则严格规定范围，中国人全部都将划在自私自利的范围以内。由全部只做自己的事的人们自私自利，遂让那全部做公众的事的人们去利用公众自私自利，不会做好公众的事。

但是，从另一方面解释，自私自利而缩小到个人的范围，则范围太小，只有肚子饿了要吃饱，身上冷得厉害了要穿衣服，风雨来了要找遮蔽的房屋，才是纯个人的需要。性欲亦基于个人的要求，然而已有对方的关系。无论程度或范围超乎此，则皆非自私自利，至少非个人的自私自利，而为适应社会环境，给予社会的要求了。当他们为社会的环境所压迫，为社会的要求所征服，无法抵抗的时候，其行动几乎全部是社会的，是徇社会的，或竟是徇社会的，而非个人的行动；非自私自利的行动。

人要吃饱是为了个人的要求，然而要吃好的，无论其为中席或为西菜，则是为了宴请亲朋，应着社会的要求了。要穿得温暖是为了个人的要求，然而要穿好的，无论其穿丝织的长袍或毛织的洋服，则是为了出入交际场中应着社会的要求了。人要房屋遮蔽风雨是为了个人的要求，然而要修一进几重的中国大厦或是一升几层的西式洋楼，则是为了都市比美，应着社会的要求了。乃至于屋外要有很美丽的花园，由旧式的曲折幽深以至于西式的整齐开朗，屋内要有很美丽的陈列，由中国古董以至于现代艺术，都不是个人的而是社会的要求。你所接近的社会要求什么，你便供给什么，而且要求什么样式，你便供给什么样式。一个乡间有钱的人，切于要求钱的增加，然而自己吃的同穷人一样，穿的同穷人一样，自己不肯用钱，也不许儿孙用钱；然则积起钱来何用？这决不是个人的要求，而是社会的要求。因为那一乡最尊敬的，最羡慕的，是最有钱的；他们可用银元作单位，也可用田亩作单位，来随时替他计数，从这计数的工作当中表现出他们的羡慕。替姑娘办赔奁，替她缝制一辈子也穿不完的衣服，虽然知道明年就会变更样式，有穿不得的苦，然而赔奁是必需办理的，不是为了她的姑娘的要求，而是为了社会的要求。当着许多赔奁摆在抬盒里边抬着经过街上的时候，立着瞻仰的许多人们，必一一点数，必记着数目，必街谈巷议，议到他家赔嫁姑娘的抬盒架数。

这许多例子——还不止这许多——都可以证明人们的行动绝不是为了自己，而是为了社会。社会要求什么，你便给予什么。为了给予社会的要求，你可以牺牲了自己的自由，你可以牺牲了你所认为应该有的行动，以至于由行动积累而形成的人格，你可以忍着精神上终身的痛苦。这样牺牲了自己为了社会的行动，绝不是自私自利的。

中国人是与世界上任何人种一样没有自私自利的行动。病根不在人们的自私自利，乃在社会要求的错误。人是社会的动物，是由社会的刺激而起反应的动物。正面有社会的引诱，使你不能拒绝；反面有社会的压迫，使你不能反抗。你惟有屈服——屈服于社会的要求。社会要求人们以什么表现在社会面前，人们便以全力趋赴，不但不为自己，任何时间皆可牺牲自己——乃至于牺牲了自己的生命。今天以前社会的要求，有一个根本的错误，是要求人以所有的表现在社会面前，要求人有好的吃、好的穿、好的房屋、好的陈设、好的财产、好的地位——以这一切所有的表现在社会面前。于是人都努力而且拼命追求或积聚其所有，以表现在社会面前，以此形成一种自私自利的局面。今天以后则应变更社会的要求，不要求人以所有的而要求人以所为的在社会上表现。要求你有很好的讲演或有很好的著作，要求你在科学上有新的发现，或在机器上有新的发明，要求你为公众担当大难或为公众创造幸福，你便会努力而且拼命地趋赴于这些方面，以你所为的在社会上表现。整个社会都迫切地要求你为他们工作，你便不得不为他们工作。你为什么在战场上冒着弹雨地冲锋，为什么在运动场上不顾命地跑第一，都是被逼迫于社会的要求。社会的要求，可以叫你使尽力气，可以叫你吃尽痛苦，甚至于可以叫你死。如果你个人的要求与社会的要求冲突的时候，你只有压抑着或躲藏着你个人的要求，除非是两个社会不同的要求绝不能冲突。

所以我们要医中国人的病，并不需要去医人的自私自利，中国人之不自私自利，终是与世界上任何人种一样的。人们之努力追求并集聚其所有，非为了自私自利，乃为了社会的要求，所以医病要从社会的要求医起。如何变更社会的要求？是需要凡关心中国问题的人努力，而不需要等待政府或仅仅责备当局，尤其是需要以新的社会要求，促起政治中间的人们有新的行动。如果你有一段好的演说，全体听众便都鼓掌；如果你有一篇好的文章，传观转载遍于各处；如果你有新的科学的发现，便为举国所争相研究；如果你有新的机器的发明，便为举国所争相采用；如果你为社会担当了大难，便万众欢迎；如果你为社会创造了幸福，便万众庆祝。你看着万众是如何欢迎保障国家的凯旋部队，是如何庆祝铁路建筑的完成典礼，你的生路会沉溺在这强烈的社会要求当中，如醉如痴，如火如荼，比较沉溺在漂亮的衣服，高大的房屋，名贵的陈设，富有的财产，出人头地的地位，其要求人的力气和生命，更深刻而浓厚。只要社会变更了要求，人就会变更了行动。好友何北衡说："要创造新的社会，只有赶快的创造新社会的引诱。"其解释是何等精透。人绝不是自私自利的动物，有认定自私自利竟是人的天性的，那只是为社会要求造起保护。可惜人只敢给予社会的要求，而不敢变更或创造新的要求。虽有最聪明的领袖能将一切权力集中，然而亦只集中了给予人们要求的权力，而绝未尝变更或提倡了新要求。今天急切需要的便在提起新的要求，以整个的世界作为刺激，以现代的解救国家困难的运动作为新的社会要求，乃可以起中国人的沉疴，使脱离于自私自利的病榻中。

中国的根本问题是人的训练

从中国许多政治上、经济上、社会上不能解决的问题考察研究，而又亲身经验之后，认定没有不能解决的问题。所以有一切不能解决的问题，不是一切问题不能解决，而是人不能解决问题。凡白种人能解决的问题，黄种人亦未尝不能解决；日本人能解决的问题，中国人亦未尝不能解决，目前中国人所以不能解决许多问题，亦不是人的根本问题，不是先天缺乏了什么资质，实是后天所从社会得来的行为缺乏了训练，缺乏了解决当前许多问题的技能的训练，所以不能解决当前的问题。

每一个人的行动都曾经受过长时间的社会训练的，其时间之长，乃与其生命之长相等。从极简单的走路、吃饭，以至于说话、作事、讲求学问，没有一种行动当中没有社会训练的成分。中国人的行动，并不是缺乏社会训练，其所受周围社会之训练，与世界任何其他国家的人所受周围社会之训练是一样的，不同的是行动的方式，其不同的程度是与其社会之不同相等的。

假使中国的社会不因中国以外的社会的压迫和影响而发生变化，则中国人的行动，亦正不需要发生变化。而且在原有社会中间的行动是极其有训练的，其训练时间在个人之长等于其年龄，在社会之长乃至少等于中国之一部已经知道的历史——已有记载以来之历史，无论在农业方面、在工业方面、在商业方面、在教育方面、在政治方面，每个人皆有其原有社会中之行动之充分训练的。

不幸而社会随国家周围不同的社会压迫的力量发生变化了，许多新的社会产生了，还没有产生许多新的行动；许多社会变更了组织，而其中人们还没有变更行动的方式。我们必须知道人的新的行动没有训练完成以前，新社会是不容许产生的，不管这新的社会是一个议会、其间的代表是产生于选举，或是一个委员会、其间的委员是产生于委任，或是一个城市的警察或是一个农村的合作社；在其间活动的人们，如果没有受过那种活动的训练，那一种社会是不容易形成的。我们又必须知道一个人的装饰变更起来非常容易，行动变更则非常困难。要从长衫改为短服，要从发辫改为光头，非常容易，亦非常容易成为社会风气。行动之改变则不很简单，如解小便、吐口痰习于上轨道而不外溢，亦是需要长时间的训练的。一个朋友说：不进化的中国人吐口痰是没有方向的，进化的中国人吐口痰有方向了，向着痰盂那一方，而不一定吐进痰盂去。到中国的外国人，有吃中国饭的纪录到几百次而不能好好的使用筷子的。行动简单如此，训练已非常困难，而况组织复杂手续繁重的行动，常需要积久的习惯纯熟的技术，而又需要社会一般的行动，其变更之困难，是更不可以计算出倍数的。在初生下的婴孩，开始训练以至于成熟，虽然要经过十几年乃至二十几年，然而因其是一张白纸，着色尚比较容易。最困难是习惯已经成熟的成年人，要变更已成的习惯；又要他们在已成的社会当中去变更已成的习惯，就令有新的压迫的力量，那种力量也远不如原社会；就令有新的训练的方法，那种方法之易于接受，也远不如原社会，所以训练起来绝不容易。科举虽改为学校，四书五经虽改为教科书，至于念书之行动，则仍如今天以前一样。在没有动的训练以前，偶然想有所动，却都不能持久；要整饬官方，然而不久又弊病丛生；要建筑公园，然而不久又荒芜满地，这些问题都是由于没有新的训练产生的。

在一个人没有新的训练以前，就有新思想也是不中用的。一个青年很惊喜地写信给我说："我现在已经觉悟了。"我回信说："虽然你已经觉悟了，于你的行动恐怕还没有关系，你的觉悟是一回事，你的行动又是一回事。"梁任公在做了财政总长、司法总长之后，大做文章批评其自己，认为自己毕竟是一个政论家，不是一个政治家，他似乎知道这个意义，因为他受了数十年的政论的训练，而没有受过政治的训练，所以他在政论上的活动是应该成功的，在政治上的活动是应该失败的。革命党人如果仅仅经过了若干年夺取政权的训练，而没有经过运用政权的训练亦是一样，其夺取政权是应该成功的，而运用政权则应该失败的。虽然已经取得政权了，仍只有兴趣于继续取得政权，而无兴趣于已经取得的政权的运用。物理上的惰力，是相当可以支配物的行动的。

人的习惯，尤其是社会习惯的惰力，是尤其可以支配人的行动的。

中国人的行动是积了几千年的惰力，所以支配人的行动最强。虽然已经试过了许多新的社会的制度，代议制与独裁制，内阁制与总统制，以至于委员制等等，然并没有产生新的行动。一直到今天许多人乃至许多集团，其行动仍在几千年来的惰力支配之中。

然则说中国人的行动，是不容易施以新的训练的，则又不然。鸽子可以训练成邮差，狗可以训练成警察，岂有不可以训练成功的人，岂有不可以训练成功的中国人？军队要训练人稍息便稍息，要训练人立正便立正，要训练人跪下便跪下，不但可以极正确的行动训练人，而且可以极正确的训练马。然则人之受训练，虽然困难，虽然因为其已有旧社会的关系而困难，但究竟困难有限度，其限度是可以人的训练超过的。受训练的人只需要一双徒手等待训练，此外则一无需要的条件。最困难在训练人的人——他第一是需要有专门的技术，训练人做什么便需要有做什么的专门技术；第二还需要有训练的技术，如何训练人乃亦是一种专门技术。以如何训练人的技术，乘所做的事的专门技术，其积乃等于一个训练的成功。这在中国却成问题了，训练的人又从何处受着新的社会的训练呢？在中国里边的人，即是在原有社会里边的人，只受得原有社会的训练。曾经到过现代的旁的国家、新的社会的人们，虽然带得有新的社会的智识回来，然而没有带得新的训练回来。虽然他亦受过新的社会的训练，然而是从已经成熟的社会中受的训练，例如曾经在一个工厂或一个矿山实习过几年，然而没有经过创造一个工厂或开发一个矿山的训练。回到中国，乃初学做创造的事业，既没有学校，又没有教师，则宜乎是易失败。又况从外国带回来的智识，每每不在创造方面，而在享用方面。回来变更了自己生活的享用，而不能变更一种社会行动。这乃是中国今天的病源。

本来在许多到现代的旁的国家去的朋友，因为去得太早了仅仅由学校出来，未能带得许多社会问题出国去，便自不能带得许多的办法回国来，这也无怪。一部机器是旁的国家制造好了的，我们要使用还须得要长时间的训练，要照式样仿造，更非常感困难。社会乃是一部极其复杂活动而不容易制驭的机器，又不能完全照着人家样式仿造的，今天要急遽完成一部新社会机器，其比较困难的距离，更不可以道里计算。

人之训练虽感困难，但问题究竟须从这里解决起。如这根本问题——人之训练的问题——不解决，则所有社会的一切问题，都不能解决，因为没有人去解决。

如何训练人使能创造中国的新社会、使成现代的？这方法第一是要将现在负起责任、要解决社会上某种问题或训练社会上某种人的人，随时送到现代的旁的国家去，先自己受过训练。第二是要多多请旁的国家有专门技术而又有训练人的技术的人多多到中国来帮助训练，乃能训练成功许多新的社会里边需要的人才，训练成功许多训练人的人才，使他们能够在旧社会当中创造出新的社会来。

只要训练人成功，不要怕所创造的社会失败，即是不要怕所经营的事业失败。不管他是一个公司或是一个医院，只要人成功；一个公司偶然失败了，会有若干公司成功，一个医院失败了，会有若干医院成功。今天中国什么都不缺乏，只缺乏人——只缺乏有训练的人，所以根本在先解决人的问题——解决人的训练问题。

从四个运动做到中国统一

读丁文江先生的《公共信仰与统一》一篇论文后，很有深刻的感触。第一是讨论到中国当前的问题，第二是讨论到中国问题的根本。只是，那篇文章提到了我们需要一个最低限度的信仰，而未提到最低限度的信仰是什么；提到了政治首领需要使个人的信仰变为多数人的信仰，而未提到使个人信仰变为多数人信仰的方法是什么。

我们觉得中国急切需要的是根本问题的讨论和解决方法的追寻，而不是枝节的批评。徒有这桩事与那桩事的批评，这个人与那个人的批评，无裨于中国问题的解决；只是为了现状想办法，而不是为了变更现状想办法，绝无解决一切问题的希望。

我们觉得最可悲恸的是中国人每每忽略了当前问题

的酝酿，而徒震惊于事变的爆发；在很长的时期中，忽略了东北问题的酝酿，而徒震惊于“九·一八”事变的爆发；忽略了若干反抗势力的酝酿，而徒震惊于某军事变的爆发。由前之例，每每陷于问题之无法应付；由后之例，每每陷于应付问题之无已时，以至于一个中华民国全为内忧外患所包围，且一天比一天包围愈紧，不能发现一条生路或一线光明。

东北之成为问题远在数十年以前，到“九·一八”事变以后，则问题已扩大到东北以外了，奈何我们才觉得东北是问题，而且此一点觉得，亦止于发生事变之顷，而今已模糊不明，且已明知问题之方继续酝酿，而不复视为当前必须解决的问题。即令后来事变继东北而爆发或且成为强弩之末之刺激，认为是意料中应该有的，乃并求如东北问题之足以刺激起我们一顷间的感情亦不可得，此为何等可怕的事情！可怕何尝在日本，乃正在中国人！

中国如果不断地内乱，日本——或且不止日本——即可不断地前进。但是，内乱之成为问题，已不知经了若干次，诚能解决此已发生之问题，如何能消灭问题之不断地酝酿，以至于不断地发生？在中华民国已整整有二十二年的证明，在国民革命后，亦已整整有几次的证明。且无论目前的形势，即一切反抗的力量完全消灭以后，亦未能消灭反抗的酝酿，如果仅凭力量。因为一方面有进攻的企图，他一方面必有防御的企图，反抗正是被力量压迫或排除促起的。

所以我们最盼望国人能提出当前的问题，而且能提出问题的根本；不仅注意问题之已经发生，尤须注意问题之正在酝酿。东北诚然是尚未解决的问题，而不是仅对东北可以解决的；过去的内乱诚然是已经解决的问题，而不是仅对反抗者可以解决的。义勇军抗日不是收复东北可靠的力量，武力对内不是消灭反抗可靠的方法。

内忧外患是两个问题，却只须一个方法去解决它。这一个方法就是将整个中国现代化。换句话说：就是促使中国完成现代的物质建设和现代的社会组织。此在国中应成一种极其鲜明的运动。分析起来，第一是产业运动，第二是交通运动，第三是文化运动，第四是国防运动——皆各有其物质建设方面和社会组织方面。凡感觉到中国根本问题的人们，都应负起责任作这四个运动。中央政府，尤其是最高领袖，应以这四个运动为活动的中心。集中全国乃至于延揽国外的专门人才，担任下列的几个工作：

无论英美自由主义的国家、德意法西斯蒂的国家、苏联社会主义的国家，所有的产业运动、交通运动、文化运动、国防运动，其方法、其历程、其所到达的最高纪录，通通搜集起来、整理起来，摆在全国人面前，摆在关心全国问题的人的面前，使明白什么样是现代的国家，如何才能够立国于现代，这是第一个工作。

以中外的专门人才总动员，将全国的产业状况、交通状况、文化事业状况、国防状况和所感觉的需要，通通调查起来、统计起来，摆在全国人面前，摆在关心全国问题的人的面前，使明白自己国家是如何空虚，如何贫乏，如何恐慌，这是第二个工作。

根据世界的最高纪录作为目标，根据国内的目前状况作为出发点，适应整个国家的需要，定出整个国家的生产计划、交通计划、文化设施的计划、国防布置的计划，定出最后的要求，而又依进行的便利定出若干步骤。

如此，既有明了的可以到达的境域，又有明了的可以率循的路径，使全国人，尤其关心全国问题的人于明白了现代的英美、现代的德意、现代的苏联、现代的日本之外，更彻底明白了一个现代的中华民国，非常之爱好她、希望她、急切地要求实现她。这样确定一个具体的理想，必定可以促起实际的行动，必定可以吸收忠实的信徒，而成功为全国人的真切的公共信仰，这是第三个工作。

一部分专门人才，集中在中央，以中央政府为全国政治机关组织的模范，为政治人才训练的中心，为四个运动的发动机；另一部分的专门人才，则帮助各省。无论其在今日之东南或西南或华北，无论其在中央直辖之省份，或非直辖之省份，都一样予以帮助。不断地赴各省视察，赴各省宣传，赴各省指导，促起各省政治方面或社会方面的人作四个运动，在国家整个计划之下作四个运动。但有动机即予帮助，无论其规模之大小，要为整个计划中所需要。对于事业：需要调查即为调查，需要人才即为介绍人才，需要办法即为提供办法，需要对外接洽即代为对外接洽。对于人才：需要赴各省或各国考察，需要赴某地或某国研究，即予以人事上种种的帮助；需要在中央或某事业上练习，即调派或介绍其前往练习，如此帮助扩大到什么地方，即是中央的权威扩大到什么地方；深入到何种程度，即是中央的权威深入到何种程度。今天中央的兵力还有不可到达的地方，中央的帮助却任何地方都可以到达。谁受中央的帮助，谁就变为中央的信徒。这时，不但建设成功了全国人的公共信仰，而且建设成功了整个国家；不但成功了整个统一的国家，而且成功了整个现代的国家，这是第四个工作。

集中了国内外的专门人才总动员，而且十分紧张地以第一、第二两个工作为预备工作，并以促起全国人的觉悟，以第三个工作建设成功一个理想，而以第四个工作促使这理想成为全国人的公共信仰，促使全国统一于一个公共信仰四个现代化的运动之下，这是最可靠的统一全国的方法。由这方法不但有了对内的力量，亦且有了对外的力量。因为以一千万方公里、四万万人口的一个大的国家，完成了现代的物质建设和社会组织，至少也可以比拟现代的任何一个强的国家，并要求有超过了他们的完整和良好，不但不至再来人欺，而且还可以找人算账了。

今天以前用军事的方法求得全国统一，直到今天没有统一，则这种方法已可证明无效了，至少应作一度新的试验，求一种新的方法。这新的方法是从四个运动使中国现代化，建设成功一个公共理想，使全国人去要求实现它，政治领袖要如此乃可以言政治领袖，党要如此乃可以言党。更须知道：用军事方法解决军事问题，只能得一个适得其反的结果，因为适足以促起天下聪明才智之士集中其聪明才智于军事，于是军事问题乃弥漫天下不可解决了。如果迁移天下聪明才智之士的聪明才智于军事以外，则军事问题自然消灭不待解决。徒欲排除反对的势力，适足引起一切势力的反对；纵能排除反对者，然不能取得信仰者。必须用鲜明的政治理想作鲜明的政治运动，号召全国人、领导全国人、帮助全国人，以此促使全国人信仰中央，乃至于促使全国人倚赖中央，然后可以统一全国，而且必定统一全国。因为今天以前的统一，只是中央的要求；今天以后却变成全国的要求，而且是全国对中央的要求。合全国人的力量要求统一，统一自不成为问题了。

我们的要求和训练

第一个要求是活动：中国人的生活习惯是静的，是被问题迫着了而后动的。我们要变更这个习惯，要求动，要求在一个理想上活动，在一个使命上活动，在继续不断的前进当中活动。例如我们的理想是建设成功一个美满的三峡，是从经济上、从文化上、从风景上、从治安上建设成功一个美满的三峡，我们便要从各方面包围着这整个的三峡活动。假如我们在这整个的理想中间负着的使命是治安，治安的使命一方面是防匪，防匪的一个准备是军事训练；我们便要在军事训练上要求活动，要求继续不断前进的活动；便要从各方面包围着军事的训练活动，从睡觉、起床、吃饭、走路、运动、读书、上课、下操以至于休息、游戏，都包围着军事训练而活动。任何时间、任何活动，都在军事训练的意义上，绝无一个时间无聊，绝无一种活动在自己的使命以外。

又假如我们负着的使命是警察，我们便要在警察上活动，我们便要从维持公共卫生、公共秩序、公共的好习惯各方面去包围着警察的意义活动；我们为维持公共卫生而防疾疫传染，便不得不驱逐苍蝇，便不得不从肃清一切污秽的地方消灭苍蝇的卵，从江边及饮食摊子上消灭苍蝇。我们自己要求这种活动，同时还要促起人民要求这种活动。

又假如我们的使命是布置花园，我们便要在风景的调和上活动，便要从我们游各处的公私花园，游自然的野景，看图画，看照片，看电影，乃至于朝夕看我们自己的公园，去作风景调和的活动；我们便要求有地方都有布置，有花园都有方式。我们自己要求这种活动，同时又促起人们要求这种活动。

总之，我们随时随地在活动，而我们的活动都在我们所负的使命上。不但专一于所负的使命，而且包围着所负的使命；不但有恒，且有不断的前进；不但有时间都活动，而有活动都紧张；不但使人惊服我们活动的成绩，尤其是我们活动的精神，因而有深刻的感应将这静的社会变成动的社会。

从我们的活动上，不但要看出一手一足之劳，尤其要看出一点一滴的思想以使人欣赏。所以我们不但要求活动，尤其要求活动产生于思想。第一是运用思想去寻求我们的问题。例如警察在北碚市场当中要寻出清洁的问题，码头上要寻出秩序的问题；第二是运用思想去寻求解决问题的方法，例如我们为了菜蔬除虫而用除虫菊粉而用漂白粉水；第三是不怕失败去运用思想解决问题，例如我们为种牛痘而宣传，第一天是讲演，失败了，第二天便改为鸣锣，还是不很成功，第三天便与乡人各个接谈。从各方面去进行一个问题，不解决不已，我们的活动是需要这样彻底。

第二个要求是正确：我们任何活动都必须正确，有如我们在操场上每一个动作乃至于每一个举动当中的身体各部分都必须要求正确一样。立正姿势要求两脚跟靠拢，并齐在一线上，两脚尖离开约六十度，两膝并拢，两腿打伸，小腹后收，胸部外张，两臂自然下垂，两手贴于裤缝，颈宜直，头宜正，两眼平视前方，这是何等正确！不但操场上的动作需要这样正确，野外演习、内务整理，以至于饮食起居说话做事一切活动，都是要求正确的。

不但军事活动要求正确，任何事体都有同样的要求。例如平民公园要建筑一条上山“之”字路，我们要求每一转弯之处，石级长宽步数，以至于转弯的角度，都必须正确。要求公园路上的梧桐树，必须种在一根直线上，及相同距离上，分枝在相同高度上。要求北碚任何机关的时间必须正确，我们必须依据正确的时间参与一切公共集会。要求新闻记者载新闻必须正确，录士缮写必须正确，会计记账必须正确，审计人员审计收入支出必须正确。

总之，我们看一样东西必须正确，听一句话必须正确，思想必须正确，说话必须正确，任何行动都必须正确。正确的第一个要求是形式：正方必须是正方，必须每一边等长，每一角都是九十度；正圆必须是正圆，从圆心上到圆周上的任何点都是等距离。第二个要求是数目字：是三百五十二个人，不能说大约是三百余人；是一万四千八百六十三元，不能说大约是万余元。第三是系统：我们必须将整个三峡的事业分为经济方面、文化方面、治安方面、游览方面，又必须进一步将经济事业分为矿业方面、农业方面、工业方面、商业方面、金融方面，将文化事业分为研究方面、教育方面，将治安事业分为军事方面、警察方面；这就是使我们当前的问题有个明白的系统，有个明白的分析。第四是因果关系：我们必须训练成功一群有创造能力的青年，才能创造成功一个良好的社会环境；必须有了好的社会环境，才能培育成功更多的好人。我们帮助人必可得人的帮助，嫉恨人必可得人的嫉恨；地湿不一定是天雨，谷贱不一定是年丰，这些必然的和或然的因果关系，必须认识正确的。

第三个要求是亲切：对事要求正确，对人必须要求亲切。我对峡里各主任人员非常亲切，同时盼望各主任人员对于所训练之服务人员非常亲切，各中队长对于分队长非常亲切，分队长对于班长，班长对于兵，特务队的兵对于人民，都须要非常亲切；一个机关中间的服务人员相互须要亲切，各机关的人员、各主任人员相互须要亲切。我们对人的活动，须要亲切乃能发生影响，对人的要求，须要亲切乃能达到目的。我们对人亲切，知人乃能深切；同人做事，乃能避免误会和隔阂。

对人亲切的方法：第一是多与人接触，尤其要领导一个大群必须在一个人群前面或在一个人群中间，乃能认识清楚这一群人的问题，乃能促起他们共同去谋问题的解决；第二是共同活动，譬如训练兵作工必须共同作工，训练学生运动必须去参加运动；第三是相互帮助，互相供给方法，指正错误，帮助力量，促其前进或为排除困难；第四是亲切的态度，对于人的好处有深厚的同情，对于人的成功有热烈的庆祝，对于人有不好处始终希望其改好，人有失败处予以安慰并鼓起其勇气。这都是不可或少的态度。

任何时间都需要（一）检查自己是不是在活动？是不是在围绕着我们的整个理想，围绕着整个理想中自己所负的使命，围绕着自己所负使命中的问题而活动？（二）检查自己的活动对事是不是正确？是不是辨认问题十分正确，寻求方法十分正确，依据方法做得十分正确？（三）检查自己的活动对人是不是亲切？是不是在人群当中，关心人群的问题；帮助人群，促起人群去共同解决问题？

我们有这三种训练——第一是活动、第二是正确、第三是亲切——之后，必须进一步训练士兵，训练士兵到这样的程度——他都能够在他的使命上活动，做事都能正确，对人都能亲切，才算尽了我们训练人的能事。

我们这样训练人，不是要求他们仅有一种自找饭吃的能力。自找饭吃还算是中国人优为的，还不算是中国当前的问题；普遍的缺乏——缺乏要求、缺乏习惯、缺乏能力——乃为如何帮助社会。因此乃要求他们都有能力帮助社会，在消极方面都能帮助社会排除灾害，在积极方面都能帮助社会创造福利。

水、火、疾疫、盗匪、战争，都是社会的灾害！我们在事前必须如何防范，在当时必须如何应付，在事后必须如何救济。生产事业、交通事业、文化事业……都是福利社会的事业，我们必须如何集中人力、集中财力，如何创造、如何推进——如何扩大、提高和普及其所及于社会之福利。这些活动，都不是个人的，而是社会的，我们便应负起责任从这些活动上去帮助社会。可是凡活动而是社会的，必须要一群人乃至一大群人，在整个的有系统的组织下面共同去担当，而每个人只能担当其中的某一项。有如今天我们所努力的事业，有在治安方面的，有在文化方面的，有在经济方面的，有在游览方面的，即在治安方面亦有在军事方面、警察方面的；即在警察方面亦有在市场上的，在铁路上的，在矿山上的；即在铁路上亦有在车上的，在站上的，在路上的。我们每一个人都在活动，然而都不是个人的活动，而是一大群人当中的活动；都不是独立的活动，而是一整个计划当中的活动。

我们是从个人的活动，变到社会的活动，一方面我们不是为了个人而活动，而是为了社会而活动；他方面不是个人独立的活动，而是社会组织中间的活动。例如医院的医生是为了社会的病人而活动，而又各活动于医院一个社会组织当中。其意义有两重：在小的社会——医院——当中的活动，是含有训练的意义；在大的社会——一个市场或一个乡村——当中的活动，是含有帮助的意义。我们要求这样积极的活动，而且要求这样活动有大的效率，其训练的骨髓，在对事正确、对人亲切。在小的社会当中，有严格的组织，在大的社会当中；有极大的帮助。

南洋华侨的两个工作

我们对于侨居国外的同胞，尤其是侨居南洋的同胞，一向怀着非常深厚的情感。几回要到南洋游历看看侨胞在南洋的经营，苦于挪不出时间，向往之心，一直怀到现在或许一直怀到将来实现的一天。四年前曾经一度到了今天已经失掉的东北，是为看看日本人在东北的南部所经营，俄国人在东北的北部所经营，尤其是为看看东北的同胞在东北的全部所经营。东北是中国自己的领土，有二千余万人在那里胼手胝足，努力生产，不比南洋的同胞侨居在异国的地方，有更多的不便和困难。然而有与南洋同胞同样的精神是他们从内地去，从山东、河北、河南到更苦寒的东北去，到数千里外开辟荒地、耕作、作工或做生意去。他们并不需要政府的奖励和帮助，亦不需要资金，只带着他们勤俭的精神，去开辟了东北那样广大一幅地方。虽然那时的日本人和十几年前的俄国人挟着了举国的力量去经营东北，经营了几条铁路、几个矿山、几个城市，是令我们十分惊异而叹息的；然而那茫茫大野纵横数千里碧绿无际却都是中国的人力经营出来的，一点没有仰仗国家的力量，只凭他们一手一脚创造到那样伟大，则更令我们非常惊异而佩服了。

我们问着一位哈尔滨人：“中国人和俄国人在哈尔滨生活的比较？”他的答复是：“俄国人只在作事的时间作事，中国人作事是没有时间限制的，没有礼拜休息日。俄国人每天收入有一元的时候支出亦有一元，如果只用八角，其余两角必留到礼拜日用。中国人收入只有五角，支出却只有二角半，十年以前赤手空拳到哈尔滨，日积月累而今团团富家翁了。”这是中国人的勤俭精神在东北的一种表现！我们觉得东北的地方可爱，更觉得东北的同胞可爱。因为他们都是刻苦兴家的；他们都有冒险的精神，冒险到几千里外去谋生；他们都有开辟的精神，将纵横几千里的荒地开辟成田园村落，使有大宗的农产——大豆、高粱等等自给之外还输出大宗供给内地和海外。不幸而由民二十年辽吉黑事变发生以至于民二十二年热河事变发生，东北四省全都被日本人占据。什么人都痛心于这可爱的地方之损失，可爱的出产之损失，我们最痛心的却是这二千几百万代表中国人的勤俭精神、开辟东北的同胞之损失，被人强名之为“满洲国”的人民，求如我们南洋的侨胞当一侨居南洋的华人而不可得，这是何等痛心的损失啊！

我们想念到东北四省大感亡国痛苦的二千几百万同胞的时候，愈是想念到海外尤其是南洋的华侨，一样代表了中国人携带着勤俭的精神、刻苦兴家的精神、开辟草莱的精神，而且一样赤手空拳到海外去，一点没有仰仗着国家的力量——奖励和帮助，乃能在世界上任何地方立足，而且大大地帮助了世界，令世界上许多文明民族惊惶起来。大部分同胞之刻苦是不问什么东西都可以吃、可以穿，不问什么地方都可以住，工作的时间可以比任何民族加长，待遇只要够他的最低限度的生存，绝不同任何民族比较多少。嫉妒他们的人们讨厌他们，但如从整个人类着眼客观的观察和批评起来，则这正是值得令人钦佩的民族，对世界上只问工作不问待遇，乃正是非常沉痛的行动。以视运用了物质文明和社会组织、奴使其他民族以自享丰厚，不肯以之作世界上的帮助的文明民族，则孰可尊重，实值得后代的人批评。此刻无是非，是非乃以一时的文明方式为转移，只可叹息，无可争诉。

侨胞之在海外，进一步有以对世界，退一步亦有以对国家。他们之在任何地方、任何时间，未尝忘自己是一个中国人。他们的饮食起居和一切生活的习惯、器物的使用、社会的风尚，尽管到了旁的国家里数十百年，犹自保存中国人的模样。从坏的方面说来是守旧，从好的方面说来正是不忘自己是中国人的证明。比那一部分留学生——留学欧美几年之后，凡欧美人所以完成物质建设或社会组织的方法一点没有学得，只忘却了自己是中国人，在饮食起居一切享用上竭力要求与欧美一样——却要贤得多了。这还仅仅是就物质上观察。最可宝贵的是华侨对祖国关切的情感，远超过了我们关切华侨，亦远超过了我们关切国家。一方面他们由想念家乡扩大到想念国家，一方面与一切挟着国家权威以向世界进展的文明民族深切地接触，乃感觉自己没有国家的帮助，乃感觉国家是非常宝贵的事物，至少在今天的世界上人是不可以没有她。国家的地位如果提高了，每一个人去到世界上的地位都提高了，所以华侨盼望祖国好比在祖国里边的人还恳切。尤其是在祖国有对外问题的时候，有天灾的时候，有较好的希望的时候，他们不但都有极深的关切，而且都有极大的帮助。一个中华民国都是他们帮助产生出来的。孙先生的几次革命运动几乎完全是成功于华侨的助力；许多生产的建设的事业常常等待着华侨的投资经营；因为华侨不断地汇款回国，减少了中国每年的入超数目；这些都是极明了的事例。

以上所列举的华侨之对于世界和对于祖国的好处，尤应以侨居南洋的同胞为代表。不但是这里有更大的人群，尤其值得我们注意的，是这里有更多的事业、更多的成就，对于世界、对于祖国有更多的帮助，与祖国的关系更密切，来往更频繁；在工业上、在商业上、在文化事业上，乃至于游历考察的活动上都可以看出来。所以南洋侨胞任何时之所遭遇所经营更是我们非常关切的事情。时时刻刻想知道消息，而且想知道究竟，在可以帮助的地方尤其想帮助一些，只可惜我们今天以前知道的事情太少，帮助更无从说起。南洋侨胞许多经营，有成功的时候，亦有失败的时候，他们表现在世界上有中国人的长处，亦有中国人的短处；即就成功的方面说：事业成功于个人的努力比成功于人群的为多，成功于机会的获得比成功于有把握的计划的为多，有人群的兴趣还缺乏人群的组织，有现代的事业还缺乏现代生活必需的方式，因此成功的事业易为周围的变化所影响，而不能控制周围的变化；易为更大的经济力量所压倒，不能完成更大的经济力量。所以有这现象，不完全是华侨本身的关系，亦有环境的关系。就华侨所处的环境说话，无论其在经济上、在文化上，都不容易有痛快的经营如我们之所想象，也是我们应得承认的。

因此盼望今天以后华侨的事业有更多的成功，对于祖国乃至对于世界有更多的帮助。特别提供两个沟通的工作，是侨胞应得加力，亦是我们应得协助的。一方面作沟通世界的工作。中国弱点只在没有走入现代，没有完成现代的物质建设，没有完成现代的社会组织，没有运用现代的科学方法去完成物质建设和社会组织。留学生有深入现代的机会，然而他们苦于只接触了现代的学校、现代的书籍，有了科学方法而不能运用到物质建设和社会组织上去。华侨乃更有接触现代的机会，更深切地接触了现代的物质建设和社会组织。今天以后需要的是运用现代的科学方法，青年以至于儿童以至于婴孩都应得让他们有学现代科学方法的机会，都应得让他们有进现代的学校的机会。这些学校自己能够办起来的自己办起来，自己不能够办起来的祖国有的送回祖国去，祖国没有的送到外国去，专门去学科学的方法——学运用到物质建设或社会组织上的科学的方法。凡在事业努力的成年人们，总得常常到现代的文明国家去考察，专门考察他们如何运用科学的方法在物质建设上和社会组织上。凡现代的经营无论在南洋的或在南洋以外的，尽量搜集他们的消息、模型、图书、照片、记载，在一个博物馆或图书馆里陈列起来，在报纸里、杂志里披露起来，总尽量摆在华侨的眼前。凡有公众的讲演是讲这些问题，个人的接谈是谈这些问题。电影院多多搜求这些影片。尤其是华侨当中有现代的事业必尽量采用现代的方法，必尽量让人参观，必尽量对人解释；用这种种作进入现代的运动，使今后南洋的经营不复恃赖个人、恃赖机会，而恃赖力量伟大的人群，恃赖可靠地控制自己的工作和周围的形势的办法。我们要知道美孚油公司和亚细亚背后的英荷壳油公司组织几乎与地球同样伟大。各在要求作世界石油的控制，正是显示那大的人群的魄力，不肯听命于机会的证明。

虽然这样勇猛地向现代前进，然而还是保存而且发扬中国人一向的勤俭精神，决不忘掉自己是中国人，不过由个人的事业移到公众的事业上去。不要求享用，不计较劳力，以刻苦兴家的精神去兴华侨整个的人群，最后去兴整个的祖国，是这样地运用了现代的方法发扬中国人的精神，从沟通世界的工作上去取得现代的方法，才会有今天以后更伟大的成功，才不会再有今天以前不幸的失败。

另一方面更需要作沟通祖国的工作，凡华侨的子弟不但都要能说本国话，尤其要能读本国书，就是现在不识字的成年亦须要能识本国字，随时从报纸杂志上看祖国的消息，随时从讲演的机会上听祖国的报告。凡华侨不能办的学校而祖国有的必遣送弟子回祖国，没有回国读书的机会的成年亦常组织团体回祖国考察。不但考察沿江沿海各埠，尤其是深入内地考察那犹有勤俭之风可敬佩的同胞的生活，能忍耐着处在困穷的环境当中，并华侨一向成功的希望亦没有，他们仍自苦斗。如果有了现代的方法，他们亦不仅可以兴家，尤其是可以兴一个国家。除盼望华侨去考察这些人事之外，亦考察祖国可爱的自然。这样大的适于农田的土地，无数的地上地下的出产，正待着华侨的力量帮助经营。华侨当中如果有剩余资金不能在南洋寻求得投资的生产事业，正可回到祖国寻求生产事业投资。今天以前华侨之帮助祖国是有一回问题帮助一回，今天以后应常常组织团体回来考察，选择那更有希望的事业，有希望的地方，继续不断地予以帮助或直接经营，一直到最后成功的时候。同时国内各地和各界人士亦常常组织团体考察南洋，亲切地存问远离祖国万里的同胞和他们的生活，他们所经营的事业的状况。如有需要国内人士帮助的地方，亦尽量予他们以帮助。不但是经济事业方面，尤其是文化运动方面。在南洋几个重要的地方特设图书馆，搜集国内各处的报纸、杂志、各书局出版的新书和中国以前的旧著，藏在馆里供人阅读。特设博物馆陈列中国各处的风景照片、各处的物产、各处的风尚器用，供人游览，借以引起华侨对祖国内地更深切的认识和情感。另一方面亦在国内各地有华侨住在地方的器用、物产、风景和事业的照片陈列在博物馆。有华侨的记载，无论其为书籍、杂志、报纸、陈列在图书馆，借以引起国人对华侨更深切的认识和情感。这样地作沟通华侨与祖国内地的工作，使华侨在南洋乃至于其他地方的经营常得祖国各界人士的帮助，华侨努力经营的区域，亦由他人宇下扩大到祖国内地更有希望更可痛快前进的地方。华侨之回到祖国，其发展之速，成功之伟大，将更有逾于其初到南洋时。一直到祖国的物质建设和社会组织完成了，完成一个现代国家了，则华侨比现在当更知道国家之可宝贵了。因为那时华侨在国际上的地位亦随祖国而提高了。今天仅知道没有国家帮助的痛苦，那时更知道有了国家帮助的愉快和光荣了。

以南洋华侨的地位，一方面沟通世界，一方面沟通祖国，自己在中间作一个桥梁，以极快的时间即将祖国渡入现代，这尤其是我们非常恳切的盼望。今天以前华侨有了关切祖国的情感，今天以后华侨更有了推动祖国的方法。须知道大难未已的祖国，亦正大有人在那里刻苦想以国人一向兴家的精神兴一个国家，同志正复不少。只要一旦上了轨道，便会一日千里以完成祖国的物质建设和社会组织。我们随时提出了两个口号：白种人办得到的事情，黄种人亦办得到；日本人办得到的事情，中国人亦办得到！请即以此祝南洋同胞的健康。

前瞻后顾的两段论

这回到叙府来，经过泸县，一位老朋友笑着说：你是最迷信青年的。刚才走进宝源通，我却笑向朋友说：这是由长江流域一直走到叙府不曾见着的商店，这样有秩序，而且有一色的青年。宝源通与民生公司是朋友，宝源通里好几个朋友同民生公司里好几个朋友是朋友，宝源通有许多青年同民生公司的许多青年，尤其应是朋友。有这三重朋友关系，宜乎欢喜同大家见面，同大家说话——不客气地说话了。

青年常常有一种错误的认识：以为天下应是为我造成的，生下地来第一个天下是家庭；父亲十分刻苦地做庄稼，或做生意，母亲十分刻苦地煮饭洗衣，必须挣起钱来，而且必须省出钱来，为了什么？很容易认识出来是为了我，为了我读书，为了我读书成功。然则这第一个天下是显然为我造成的。第二个天下是学校。地方筹出许多钱来办学校，先生站在我们面前讲书，自午前八钟至午后三钟，自星期一至星期六，自秋徂夏或自春徂冬，为了什么？又很容易认识出来是为了我，为了我读书，为了我读书成功。然则这第二个天下又是显然为我造成的。因此确定了天下应是我造成的一个原则，带着这个原则走向任何地方去都要牺牲了天下以为了我，为了天下那便立刻觉得牺牲了我——虽然我并没牺牲，立刻觉得精神上有了忍耐不住的痛苦，大大埋怨起天下来。因此天下无办法了。

为了什么？是我们作任何一件事情必须首先提出的问题。在今天提出的，可以分为两段：我们之到宝源通或民生公司为了什么？这是第一段；如果要找出答案，必须更进一步问：宝源通或民生公司之到社会上为了什么？这是第二段。我们不可误以为宝源通或民生公司是为我造成的，社会是为宝源通或民生公司造成的，如像我们以前的天下一样。而要将它颠倒过来说：我们是为了宝源通或民生公司工作的，宝源通或民生公司是为了社会工作的；换句话说：我是去解决宝源通或民生公司的问题的，宝源通或民生公司是去解决社会问题的：这是前瞻的两段论。

这个解释还要解释：宝源通或民生公司的问题不是我个人可以解决的，同社会问题不是宝源通或民生公司可以解决的一样；没有一个人有绝大的能力可以解决一个社会问题，虽然那个社会十分地小，比宝源通或民生公司小：只有一个社会中间的人的全体才可以解决一个社会的问题，只有宝源通一百几十个朋友联合起来，才可以解决宝源通的问题，民生公司一千几百个朋友联合起来，才可以解决民生公司的问题；同样，只有整个社会中间所含有的事业的全体联合起来，才可以解决整个社会的问题。所以我们有一个口号：不但是一桩事业的朋友是要成群的，事业也要成群的！这是前瞻的两段论。

不可把我们看得太大，认为我便可以解决宝源通或民生公司的问题；却亦不可把我们看得太小，认为我无能力解决宝源通或民生公司的问题。我是可以解决宝源通或民生公司中间的一个问题或问题中间之一部或一段的，例如我可以解决民生公司的会计问题或叙府分公司的会计问题。同时宝源通或民生公司是可以解决社会中间的一个问题或问题中间之一部或一段的，例如宝源通可以解决社会中间的经济问题，经济中间的交易问题。所以我是值得在宝源通或民生公司中间努力的，凭着个人的努力可以解决事业的一部分问题，同时亦可以促起他人努力。宝源通或民生公司是值得在社会中间努力的，凭着一个事业的努力，可以解决社会的一部分问题，同时亦可以促起他事业努力；这是后顾的两段论。

中国人最可怕的弱点就是怕，做事深怕失败，所以万事都做不成功。三年以前，一个青年朋友刚刚到了事业工作，忽又觉得恐慌要求读书。问他为了什么？他说：怕不安全。我便再问：你是怕你在事业上不安全呢？或是事业在社会上不安全呢？你怕你在事业上不安全，有一个非常简单的方法，就是你做，做得事业上离不了你，你在事业上就安全了；你怕你的事业在社会上不安全，你更要做，做得社会上离不了你的事业，你的事业在社会上就安全了。这是后顾的两段论。

这一篇前瞻后顾的两段论，不但是青年急切需要的良药，尤其是中华民国急切需要的良药，它可以挽救中国的危亡，亦可以促起中国的健康。不怕热河乃至滦东的战争天天失败，地方天天失陷；只要我们蹈着两段路程，努力地前进，最后是必得胜利，东北是必得克复的。我们当前的事业便是两段路程的梁，这座桥梁不但待我们经过，而且待我们筑造，尤其对于许多青年朋友集中了努力的希望。

民生公司的三个运动

民生实业公司的意义在没有充分实现以前，不但是公司以外的朋友不十分明了，即在公司中间工作的朋友亦莫由十分明了，所以今天特别提出来同各位讲讲。

民生公司的意义是在三个运动上：

第一是整个的生产运动。生产是适应需要的，但是在自由竞争的商业状况之下，其结果是非常惨酷，如果生产不足，则竭力压迫需要者，如果生产过剩则又为需要者所竭力压迫，永远没有供求相应的时候。如果要办到供求相应，必须作整个的生产运动。其一是将同类的生产事业统一为一个，或为全部的联合，其意义在消极方面避免同类事业的惨酷竞争，积极方面，促成社会的供求适应。譬如重庆三个面粉厂一经联合营业以后便不复竞买麦子、竞卖麦面，社会需要若干麦面时，即制造若干，所以节省人力、节省物力、节省财力，促成经济上生产与消费两方面的安定，实是社会总体的利益，而非为事业本身谋利益。自然事业本身的利益亦在当中，然而绝非如一般人之所误会认为垄断、操纵、其利益只在本身的。其二连带的生产事业统一为一个或谋全部的联络，例如公司有许多轮船即须有适应修理需要的修理厂，燃烧需要的煤厂。此亦所以谋供求适应之直接联络，自己供给自己需求，使双方都不至感有恐慌，尤其为调整社会经济最重要的方法。其由航业而联络修理厂或联络煤厂，其利益不仅在航业，亦同样的在修理厂，或煤厂。其联络愈广，其帮助亦愈广。这是我们的事业所含意义之一，不但要十分明了它，而且要努力实现它。

第二是集团的生活运动。现代文明因为有了科学方法，适用在社会上，便有了科学的组织方法。社会愈进化，便是组织愈扩大。一个组织形成一个集团。凡在现代文明当中成功的人群，都是有了组织的训练的，亦都是有了集团生活的习惯的。中国人亦未尝不习惯于集团的生活，但只限于一个家庭当中，一出家庭便只有个人的活动。从修养身心到学问事业都以个人为中心。在若千年以前中国自成一个天下的时候，这未尝不是一种生活的方法。可是在现代文明的前进当中则不容许这种生活的存在。谁无集团的训练谁就失败。成功绝非个人只有集团。民生公司便是一个集团。我们在这个集团当中应该抛弃个人的理想，造成集团的理想，应该抛弃个人的希望，集中希望于集团。不但我们的工作是集团的，天天进我们的办公室或工场去；我们的学问亦是集团的，天天进我们的图书室或讲演会场去；我们的游戏亦是集团的，加入我们的音乐会和球队去。但是我们的生产是集团的，有事务所、有工厂、有轮船；我们的消费亦是集团的，最短期间将要有我们的住宅、我们的医院、我们子女的学校、我们乃至于家属的娱乐场或运动场，个人都去解决集团的问题，个人的问题都让集团去解决。这是一个集团运动不是两个，不是两个冲突的，如像一般流行话，一是资方，一是劳方，是由两方相互帮助以成一个集团——最后都不至于失败的集团。不但一桩事业成一个集团，若干事业又是联成集团的，他们都相互帮助、共同工作、共同讲学、共同娱乐或运动——有如聚兴诚与民生近来提倡的生活。这亦是我们的事业所含意义之一，不但要十分明了它，而且要努力实现它。

第三是帮助社会的运动。民生公司最后的意义决不是帮助本身，而是帮助社会。

我们不要忘却我们的航业是帮助客人的旅行和货物的运输的，不要忘却我们的机械业是要进一步帮助一般机械的修理乃至于制造的。不要忘却我们的电灯和自来水厂是帮助合川城市的光明安全和卫生的，不要忘却我们要对外投资是帮助其他生产事业的。我们现在的事业帮助的范围是太狭小，然而就我们的力量而论，现在帮助的范围亦就太嫌伟大。我们有什么方法可以增加我们的力量去帮助社会——尽我们现在所幸得的机会。帮助社会寻求现代文明的方法，走入现代文明生活当中去或竟超越它们前面去。我们决心帮助社会决不是等待机会的是要寻求机会。不是要人请求我们帮助，是要运动人接受我们帮助。我们决不像一般旧习，帮助亲戚邻里朋友为他们找碗饭吃，谋个差使。

我们只帮助社会，帮助个人亦只是因为他要帮助社会。这是我们的事业最后所含的意义，不但要十分明了它，而更要努力实现它。

航业为什么要联成整个的

民生公司为了要把川江华商经营的航业联成整个的，引起了外间不少的误会，认为民生公司抱的是帝国主义，压迫弱小公司，要操纵航业，要垄断独占，乃至于对着民生公司切齿痛恨。这在我们是感觉得非常沉痛的、是值得沉痛地解释的：民生公司之盼望航业联成整个的，不但是对航业界是好意，是帮助的意义，对社会尤其是好意，是帮助的意义。民生公司之合并任何轮船公司，在事实上都曾经证明是帮助了他们，同时亦是自己吃亏。因为在今天以前，独立的公司曾经折本、负债，至少亦没可靠的赢余；自与民生公司合作起，直至今日止，是事实上证明有赢余的。在民生公司开始与福川公司合作时，福全轮船是只估得银七万元，民生资本十七万，当时岸上事业便达资产十七万，尚有"民生""民望”“民用”三只船，都没有算上一个钱。后来合九江两只轮船加上一只囤船，亦只估得十六万。再后合“通江”“嘉福”“岷江”三只船估价九万一千三百元，仅得一只可用的通江船。“嘉福”改为“民享”，虽然先后行驶了几个月，收入还不够它的修理费，而今机器船壳都废掉了。“岷江”则至今尚停在修理厂外。合并“重庆”轮船去银三万元，而今改为民选，为了修理，乃加上银五万余元，共值八万余元，走得与否，尚是一只未可知的轮船。合并“乘风”，改为“民殷”，去银三万余元，可值钱者，只有机器，船壳至今悬为问题，尚待更换。“长天丸”去银六万元买来，改为“民强”，行驶不过几次，每次必有问题，而今只用船壳，去了机器。须知六万元可以造成同样大的新船壳了，而这一只旧的船壳便去了六万。“利通”改为“民觉”，去银四万六千元，须知它是新船时，只比“民生”多费一千余元，只去三万六千余元。这都是上游的轮船，很可以证明吃亏都在民生公司，次则先合并的福川九江公司，而不在其他合并的轮船原有的公司。他们以历年亏折，掉得现金，或掉得赢余，其为额又都超过他们的轮船所应值得的。如果另有公司能以这种精神合并民生，亦应是我们所十分愿意承认的。

到了今年合并下游的轮船，民生的船价应是二十五万元，因在福顺时候有两度修理船价，乃加了十万。“民康”的船价是十二万元，因在涪丰时候有一度修理，船价乃加了五万。“永年”共费去二十八万元，若加上汇水，应到三十万元以上，以今天造船的价廉，直可以此船价造成同样大的新船。“皮托谦”去银七万七千两，仅仅买了它的一对机器及附属机件，另造了一只船壳，命名“民族”，如照同样大的新机器计算亦至多不过去银六万。最近合并“万安”，它在四年前的卖价是十六万两，今天仍是十六万两，整整走了四年以上，并未要它消磨一点。

我们这样吃亏去与他公司合作，似乎不是帝国主义所肯采的手段，其意义亦绝不在操纵航业或谋垄断。第一就航业本身言，联成整个的，若干轮船只有一个公司，开支应较经济。何条航线需有几只轮船，或某线需要大船，某线需要小船，或有时需要大船，有时需要小船，应着需要分配，更较经济。可以设备比较完备的工厂，担任修理。由重庆、宜昌以至于上海，大小问题发生，自己皆能修理，亦较经济，更较便利。这些利益，不是从社会上去取得的，是从航业一经联成整个的时候产生的。

航业联成整个的以后，公司利益更是“安全”。一只轮船发生问题，尚有他轮可以替代；一条航线发生问题，尚有他线可以行驶。可以增加救船的设备，或安设在各个船上的，或准备在工厂的。例如橡皮的气囊，是有浮船的功用的，一个公司有了若干轮船之后，尤其是行驶川江，更应设备。轮船公司太多的时候，大家尔诈我虞，竞争营业，水脚时涨时落，轮船的营业太不安定，商人亦太不安定。一经联成整个的以后，则轮船公司间易于协定水脚，与商人间亦易于协定水脚，大家都入了安全的境地。

这些意义是部分的实现了，还有没有实现的部分，是盼望同人努力求其完全实现的。然而这些意义，还没有及于社会。我们最要紧的意义是帮助社会。是帮助货物的运输，十分感着安全和便利。是帮助客人的旅行，十分感着舒服安全和便利。例如客人，例如下游的客人，向来统舱铺位不够，统舱客是散住周围走廊地板上面的，简直不是人的待遇。我们正要求各轮的统舱铺位增加到能供需要，而统舱客票亦只卖到统舱铺位满了而止。船上须设无线电机，沿途可供新闻消息，有了意外事变，亦可求得最近的公司派最近的轮船救济。船上须有急救的药物，须有可以供人读玩的图书。到了夏天，船上须有妥当的洗澡设备和电扇。这些都是帮助旅客的事体。不止这些，不过举例而已。这些意义，尤其是我们应急切要求实现的。

我们甘愿吃亏合并许多轮船，得着的好处，就是以上的意义。我们应将以上的意义，对许多误解的人解释，尤其需要的是从事实上证明。这是我们非常盼望于同人共同努力的。

四川嘉陵江三峡的乡村运动

四川嘉陵江三峡是在嘉陵江流域重庆与合川一段间，跨在江北、巴县、璧山、合川四县的境界。我们凭借了一个团务机关——江、巴、璧、合四县特组峡防团务局，凭借局里训练了几队士兵，先后训练了几队学生，在那里选择了几点——北碚、夏溪口以至于矿山北川铁路沿线——试作一种乡村运动。目的不只是乡村教育方面，如何去改善或推进这乡村里的教育事业；也不只是在救济方面，如何去救济这乡村里的穷困或灾变。中华民国根本的要求是要赶快将这一个国家现代化起来。所以我们的要求是要赶快将这一个乡村现代化起来。

现代是由现代的物质建设和社会组织形成的，而现代的物质建设和社会组织又都是由人们协力经营起来的，人都是训练起来的。人的训练有三个要点：第一要他们的头脑有现代整个世界那样大，能够在非常明了的整个世界的状态之下决定他们自己的办法；第二要他们的问题至少有中华民国那样大，在非常明了的国家紧急状态之下决定他们自己的任务；第三是要他们在可能的范围内创造一个现代的物质建设和社会组织起来，无论在交通方面、产业方面、文化方面或其他公共生活方面。而这一种创造的工作，是要在安定的秩序下面才能前进起来，所以首先要创造的尤其是安定的秩序。我们依着这样的程序在这一个乡村里为中华民国作小小的试验，供中华民国里小至于乡村大至国家的经营的参考，其经营止于一点，其帮助则愿意到各方面。虽然困难比成功为多，然而常常得周围社会上的帮助，尤其是政治上的帮助，尤其是政治上最高领袖的帮助，度过了许多的困难。谁说中华民国不能往好的方面做？谁说环境是前进的障碍？由我们的试验证明我们所得周围的同情和帮助，远比我们所做的多。只有我们十分惭愧没有能力运用周围帮助的力量去尽量做好一桩事情，去酬答包围我们的同情，却没有周围对不住我们的问题。

我们初到这里办理团务是在民十六年，责任只是在维持地方的安宁，而又当那地方还偶然有匪在周围为患的时候。于是我们决定以地方安宁为第一步。为使地方安宁，乃必须使匪不安宁；乃决定我们是动的，匪是被动的；乃决定以攻为守，帮助到我们的周围。不但不让匪活动，亦不让匪藏匿；不但不让匪在地方，亦不让匪在邻近。那时各地方都讲究办团，军队都讲究清匪；我们则只须联络他们、协助他们。很短时间之后，周围也就都清静了，于是我们积极地乡村运动开始了。

第一是吸引新的经济事业。这里富有煤矿，产煤都在山间，运输不便，促成煤业有关的人们组织北川铁路公司，建筑一条轻便铁路在江北、西山的山间。不久又有宝源煤矿公司筑堤以成运河在璧山县属东山之下，而且改用机器采煤了。我们又进一步联络北川铁路沿线的五个煤厂组织一个天府煤矿公司，准备改用机器采煤。促成友人组织洪济造冰厂利用水力，组织嘉陵煤球厂利用煤粉。欢迎义瑞桐油公司购地大种桐林，重庆友人集资培植果园。除开我们直接经营的三峡染织厂，集资经营的北碚农村银行而外，凡这许多事业需要帮助的时候都尽量予以帮助。一方面盼望这许多事业成功；一方面盼望乡村里的人们对这许多事业有一种认识，认识生产是应这样变成现代的。可以说他们是几个现代的模型，是想将这一大幅地方变成一个现代的生产陈列馆，以上一些事业便首先陈列在中间。而将来的如水泥厂、发电厂、炼焦厂……是正在预备着要经营的，都将他们装置在乡村人们的理想里。

第二是创造文化事业和社会公共事业。先以北碚乡而且北碚乡的市场为中心。这市场是在五年间由四百九十几家人增加到八百五十几家人，由一千九百几十个人增加到三千五百几十个人。我们用文化事业和社会公共事业将这市场整个包围了。另外造成功一种社会的环境，以促使人们的行动发生变化。在今天以前乡村的人们，除了每年偶然唱几天或十几天戏外，没有人群集会的机会；除了赌博外没有暇余时间活动的机会；除了乡村的人们相互往还外，没有与都市或省外国外的人们接触的机会，因此他们没有一切知识和一切兴趣。这样死的乡村如何可以运动到活起来呢？这是我们感觉得非常困难的问题。于是姑且以北碚作第一个试验，以其比较集中，容易办，而且可以造起周围的影响来。

我们训练我们的士兵一队，其后更训练学生一队，担任北碚的警察任务。维持公共秩序，管理公共卫生，预防水火灾患，训练人们在一切公共地方或公共问题发生的时候有秩序的行动，取缔人们妨害公众的行动。创办一个地方医院，为远近的人民治疗疾病，尤其是普遍送种牛痘到纵横百里间的区域，每季到几万的人数。创办一个图书馆，供给近的人们到馆里读书，远的人们到馆里借书。创办一个公共运动场，集中了青年，尤其是小孩，在那里活动；集中了无数中年以上的人们在那里围着欣赏那许多青年和小孩活动。创办一个平民公园，在公园里有一个博物馆，一个动物园。每天下午集中了无数本地和嘉陵江上下过此停宿的人们在那里游玩。有一小小的《嘉陵江日报》馆，每天出版一张日报，载着现代的国防、交通、产业、文化各种新消息，在一切公共的地方陈列着，在一切公共经过的地方贴着，让人阅读。峡防团务局所经营的乡村电话总机关，训练的学生和士兵，和新创办的中国西部科学院，其中生物地质两个研究所，附设的一个三峡染织厂，一个兼善中学校并附设一个小学校，都在这市场的旁边。每年总有几个时期让人尽量进去参观，由办公、上课、研究的地方以至于寝室、厨房、厕所，都让他们参观完。

我们更认为中心运动的是民众教育，由峡防局设了一个民众教育办事处。联络各机关服务的几十个青年，白天各担任机关的工作，夜晚便共同担任民众教育。他们曾经办了十个民众学校，现在更进化而为挨户教育，派教师到人家去，周围几家或十几家都集中在一家里受课。今夜晚在这家里，明夜晚在那家里。他们在这个机会当中除受教育外，还大大地增进了人群会集的快乐。在船夫休息的囤船上办了一个船夫学校，在力夫休息的茶社里办了一个力夫学校，为训练妇女的职业技能办了一个妇女学校。设置了三个书报阅览处。在各茶社、酒店里都张贴着一切国防的、产业的、交通的、文化的和生活常识的照片、图画，都悬着新闻简报的挂牌，在市集正繁盛的时候都有人去作简单的报告。设置了一个民众问事处，帮助人决疑写信和写契约；一个职业介绍所，一方面帮助需要人工作的事业和人家，一方面更帮助了需要工作的人。他们与运动场、图书馆、博物馆、动物园以至于地方医院联络，利用每一个地方有人进出的时候，即是实施民众教育的时候。尤其总动员的是民众会场的活动。因为这里不仅集中市场上的人，亦并集中了四乡的人。其中有电影、有幻灯，电影里边有三峡的事业或人们活动的影片，有四川风景的影片；幻灯有实物、图书、照片、书报、显微镜下的玻片都可以映射出来的幻灯片。每星期有两次演剧——新剧或川剧演员，都是各机关服务的青年。在这民众会场的机会当中尤其注重的是闭幕时间的报告，是要给予民众以深刻的刺激和影响。

我们的各种报告材料，各种教育的材料，都集中在下列几个运动里面：

第一是现代生活的运动。有三种重要的材料：（一）是新知识的广播。凡现代国防的、交通的、产业的、文化的种种活动当中有了新纪录，机器或化学作用有了新发明，科学上有了新发现，必立刻广播到各机关，到各市场和乡间。（二）是新闻的广播。今天世界的、中国的、四川的乃至于三峡的消息，举凡大众应得知道的事件，米价、银价、今年的粮税额、下一次民众会场的活动节目、警察调查得的人口、医院发现的流行传染病、正待介绍职业的男女工人，到处的新闻简报必写出来，更必在人群集中的时候扼要报告。（三）是生活常识。要如何讲卫生？要如何教子弟？要如何分工合作地做事？要如何处理银钱的收入和支出？要如何解决公众的问题——何处应掘沟？何处应修路？一方面讲，一方面做，是这样促起现代生活的运动。

第二是识字的运动。辅助教育必先运用文字，文字本身并不是教育。我们在民众学校和挨户教育都从各种实际材料中去教人识字。凡一切事业、一切陈列品、一切动物、一切花木以至于一切道路的指引，都用文字说明。凡替不识字的人们解释一切事物，都指着文字替他们解释。为他们叹息不识字是大憾事。常让识字的人们将一切说明念与不识字的人们听。凡有一切参观的机会，无论动物园和博物馆，无论电影或戏剧，往往是让识字的先进去，或需要收费的让他们免费进去。多方面布置一种环境去包围那不识字的人们，促成他们识字。

第三是职业的运动。民众教育主要的意义是在增进人们谋生的机会。我们觉得增加职业人数比增加识字人数更要紧。今天以前一家人只倚赖一二人有职业，我们要促成除开衰老的、幼小的而外都有职业。今天以前许多人农隙便赋闲，我们要促成他们增加副业。在商业上为他们联络都市的关系，在乡村里增加工厂，在工厂里增加工人，增加都市需要的或我们有关事业需要的手工制造品，以增加大众寻求职业的机会。

第四是社会工作的运动。我们利用人们农隙的时间作副业的工作，更利用人们工余的时间作社会的工作。促起大众起来解决码头的问题、道路的问题、桥梁的问题、公共会集或游览地方的问题、公共预防水灾火灾的问题、公共卫生的问题，不但是大众出力、大众出钱，而且是大众主持。由这些具体的活动以引起大众管理公共事务的兴趣，以训练大众管理公共事务的方式，以完成地方自治的组织，尤其是进入现代的经营。举一个例：北碚面临嘉陵江，高出江面八丈以上，然而是要被洪水淹没的。后面被一条溪流围绕着，中央高而周围低，每被洪水淹没的时候，市场的人无法逃避。最好是将溪流填了起来与北碚一样平，作人们逃避的道路，而且增加了现在无法发展的市场到一倍以上的地面。分头征求市民的意见都很赞成，于是召集一次全体市民会议，决定全市总动员。除市集的日期外，八百五十余家人，每家人皆担任运石运泥，每天由一挑以至五挑。各种营业的人，不问卖米的、卖肉的，都出钱，都由他们决定。尤其是私人的厕所，由警察指定为公用，一向粪是肥料，年有收益，仍然是私人的；召集这许多私人一度会议之后，这许多收益都让归公有了。以这许多钱来雇用筑堤的工人，每天加以数百市民在那里工作，狂呼歌唱，非常热烈。许多老年人亦常在那里欣赏他们的工作，尤其是选举了二十位执行委员，必常常有人在那里照料、指挥并处理各种问题。每夜必开会一次，都列席，列席的人都发言。对于一个问题必提意见，必考虑批评他人的意见，必得一个共同承认的方案。我们偶然去参加两次会议，亦震惊他们勇往和紧张的精神。谁说中国人无办法？最有办法的乃是老百姓！谁说公众的事情做不好？你看这一群老百姓是何等做好他们公众的事情！

我们对于北碚所作的运动，推广到璧山县属的下溪口，由下溪口一直到宝源燧川两个矿场。推广到北川铁路沿线，跨有江北县文星黄桷两镇的地面。由两个特务队在那里担任四种工作：第一是团务，担任防匪工作；第二是警察，管理公共秩序、一切卫生、救济等事务，并附设治疗所；第三是民众教育，一样有民众学校，有书报阅览处，有民众问事处，有职业介绍所；一样作新知识的广播，作新闻的广播。作生活常识的广播；一样作识字运动，作职业和社会的工作的运动；一样得地方的同情和帮助，促起了地方各种组织和活动。

他们要办一个民众学校，便有人捐助房屋；他们要建筑书报阅览处，要建筑菜场，要建筑公共运动场，便有人捐助木料、捐助石灰、捐助砖瓦、捐助工钱。他们召集会议，便训练众人会议的方式；选举办事的人员，便训练众人选举的方式。都由具体的问题，由举办某种公众的事业，而集合众人讨论办法，举人担任。让众人眼见着提议，眼见着预备，眼见着开始工作，眼见着工作前进，眼见着完成。以此引起众人做事的兴趣。第二回乃比第一回更热烈，这尤其是在那里造起运动的人们更深切的感着兴趣。

他们的要求，是深入到人们的生活内容里去找着帮助的机会，由帮助他们做，促起他们自己做，造起环境去包围了他们以改变他们的行动，由一个一个问题的解决以促起他们最后能够管理公众全部的事务，完成乡村自治的组织，担任乡村一切公共的任务，尤其是使这乡村现代化起来。

我们如何将这一个乡村——嘉陵江三峡——现代化呢？请看：

将来的三峡：

1. 经济方面：

一、矿业 有煤厂，有铁厂，有磺厂。

二、农业 有大的农场，有大的果园，大的森林，大的牧场。

三、工业 有发电厂，有炼焦厂，有水门汀厂，有造纸厂，有制碱厂，有制酸厂，有大规模的织造厂。

四、交通事业 山上山下都有轻便铁道，汽车路，任何村落都可通电话，可通邮政，较重要的地方可通电报。

2. 文化方面：

一、研究事业 注意应用的方面，有生物的研究，有地质的研究，有理化的研究，有农林的研究，有医药的研究，有社会科学的研究。

二、教育事业　学校有试验的小学校，职业的中学校，完全的大学校；社会有伟大而且普及的图书馆、博物馆、运动场和民众教育的运动。

3. 人民　皆有职业，皆受教育，皆能为公众服务，皆无嗜好，皆无不良的习惯。

4. 地位　皆清洁，皆美丽，皆有秩序。皆可住居、游览。

《工作周刊》所贡献的和所贡献于《工作周刊》的

我们的工作，工作的方法和工作所得的成绩，是我们自己应当知道的，是在我们一个集团当中共同工作的朋友应当共同知道的，是在凡社会上工作的朋友都应当知道的。

有两个推进工作的原动力：第一个是时间的，随时需要知道我们的进程；第二个是空间的，随时需要比赛有人。

报告我们的工作，兼有这两个意义。

有两个指示工作的罗针：第一，明日工作的计划，须根据今日工作的成绩；第二，自己工作的错误，须借镜于他人的指陈。

报告我们的工作，兼有这两个利益。

所以我们自有工作便有周会，自有周会便有报告，所报告的都是工作——工作的方法和工作所得的成绩。有时因工作丰富而使报告丰富，亦有时因报告有意义而使工作有意义。我们曾经研究它、欣赏它、抓住它，然而只有批评，没有记载；只有影子，没有痕迹。

三月十九日，峡局门外的周会，尤其是内容丰富而有意义，尤其是值得我们纪念的。遂决定从这周起将报告内容记载起来，发行一种《工作周刊》，由科学院与峡防局联合举办。

我们的工作是继续不断的，我们的《工作周刊》也是继续不断的。我们将从《工作周刊》看出各位的前进，不断地而且加速率地前进，即以此祝各位。

工作的报酬

在商品交易的市场当中，凡商品都以价银决定它的高低。工作亦是商品，待遇就是这种商品的价银。不问工作是有意义无意义，而问的只是月薪、地位、红利……以为这乃是工作的报酬，其实乃是错误。

工作的意义是应在社会上的，工作的报酬亦应是在社会上的。它有直接的报酬，是你做什么就成功什么。你要办一个学校就成功一个学校，要修一条铁路就成功一条铁路，这便是直接的报酬。它有间接的报酬，是你的成功在事业上，帮助却在社会上。你成功了一个学校，帮助了社会上无数读书的小孩子，或培植了未来社会上无数需要的人才；你成功了一条铁路，帮助了无数的客和货，帮助了生产建设和文化传播，这便是间接的报酬。最好的报酬是求仁得仁——建筑一个美好的公园，便报酬你一个美好的公园，建设一个完整的国家，便报酬你一个完整的国家。这是何等伟大而且可靠的报酬！它可以安慰你的灵魂，它可以沉溺你的终身，它可以感动无数人心，它可以变更一个社会，乃至于社会的风气。这是何等伟大而且可爱的报酬！一点儿月薪、地位……算得了什么！月薪、地位……决不是你的工作报酬，只是你的工作的帮助。帮助只需要到最小限度。工作乃需要到最大限度。最大的工作可以得最大的报酬——直接的在事业上有最大的成功，间接的在社会上有最大的帮助。这是从来不辜负人的，然而亦不让人侥幸。

三联经典文库第二辑简目

《游击战教程》　明凡 / 著

《游击战术纲要》　陶剑青 / 编著

《汪精卫卖国的理论与实践》　钱俊瑞 / 著

《抗战以来》　韬奋 / 著

《陕行纪实》　楚云 / 著

《随军散记》　沙汀 / 著

《被日寇囚系半载记》　王研石 / 著

《倭营历险记》　房沧浪 / 著

《活跃的新西北》　田影 / 编著

《保卫华北的游击战》　刘清扬　陈北鸥等 / 著

《徐州突围》　《徐州突围》编委会 / 编

《沦亡的平津》　长江　小方等 / 著

《淞沪火线上》　胡兰畦等 / 著

《瞻回东战场》　长江　罗平 / 著

《东线的撤退》　胡兰畦等 / 著

《抗战中的西北》　徐盈 / 著

《鲁闽风云》　徐盈等 / 著

《西线生活》　西北战地服务团集体创作

《中国解放区见闻》　［美］福尔曼著 / 朱进译

《全面抗战论》　潘汉年 / 著

《日本的间谍》　范士白自述 / 尊闻译

《日本大陆政策的真面目》　国难资料编辑社 / 编

《民众动员论》　李公朴 / 著

《中国外交史》　钱亦石 / 编著

《太平洋军事地理》　蒋震华 / 著

《世界经济地理讲话》　思慕 / 著

《列强军力论》　［德］马克斯·威纳尔著 / 宾符　仲持　梅益等译

《近代国际关系史》　张铁生 / 著

《太平洋现势手册》　沈志远　石啸冲 / 编著

《近代世界政治史》　钱亦石 / 著

《从战争到和平——一九四五年的世界政治》　乔木 / 著

《战后日本问题》　思慕 / 著

《最近一年间的国际动态（1946.7—1947.6)》　《东北日报》社 / 编

《论政党》　翟放 / 著

《法与宪法》　韩幽桐 / 编著

《中华民国宪法刍议》　罗家衡 / 著

《民主·宪法·人权——作之民》　费孝通 / 著

《宪法论初步》　潘念之 / 著

《对反民主的抗争》　韬奋 / 著

《农村改进的理论与实际》　江恒源 / 著

《上海产业与上海职工》(上下)　　朱邦兴　胡林阁　徐声 / 合编

《陶行知教育论文选辑》　　陶行知著 / 方与严编

《中国通货膨胀论》　　杨培新 / 著

《中国及其未完成的革命》　　H·普拉特著 / 蒋天佐译

《中国的建设问题与人的训练》　　卢作孚 / 著

《论中国特殊性及其他》　　艾思奇 / 著

《中国经济问题讲话》　　钱俊瑞　徐雪寒　王渔邨　姜君辰　骆耕漠 / 合著

《中国经济的道路》　　许涤新 / 著

《中国财政之病态及其批判》　　孙怀仁 / 著

《官僚资本论》　　许涤新 / 著

《五四运动之史的评价》　　陈端志 / 著

《中国通史简编》(上下)　　中国历史研究会　范文澜 / 主编

《论文学的工农兵方向——读〈在延安文艺座谈会上的讲话〉》　雪苇 / 著

《中国近代史(上编　第一分册)》　　武波 / 编著

《文学百题》　　傅东华 / 编

《中国史学之进化》　　周谷城 / 著

《论民族形式问题》　　胡风 / 著

《论批评》　　荃麟等 / 著

《中国史纲》(第一卷上下、第二卷上下)　　翦伯赞 / 著

《近代中国思想学说史》(1-4)　　侯外庐 / 著

《中国政治思想史》（上下）　吕振羽 / 著

《中国哲学史纲要》　向林冰 / 著

《中国政治史讲话》　钱亦石 / 著

《中国社会经济史纲》　王渔邨 / 著

《新财政学大纲》　千家驹 / 著

《太平天国革命运动论文集——金田起义百周年纪念》

华北大学历史研究室 / 编

《理性与自由——文化思想批评论文集》　胡绳 / 著

《战斗者的诗人》　黄药眠 / 著

《国语文法》　曹朴 / 著

《教育哲学》　张栗原 / 著

《妇女问题讲话》　杜君慧 / 著

《婚姻·子女·继承》　沙千里 / 著

《性教育新论》　布士克　雅各生合著 / 董秋斯译

《狱中杂感》　杜重远 / 著

《七人之狱》　沙千里 / 著

《爱迪生传》　伍况甫 / 译

《歌德自传》（上下）　歌德著 / 思慕译

《尼赫鲁自传》　［印度］尼赫鲁著 / 毕来译

《列宁传》　［苏］凯尔任采夫著 / 企程　朔望译

《罗斯福总统传》　C. Mackenzie 著 / 张尚之译

《托尔斯泰传》（1–3）　［英］阿尔麦·莫德著 / 徐迟译

《革命文豪高尔基》　［美］亚历山大·康恩著 / 韬奋编译

《鲁迅纪念特辑》　新中国文艺社 / 编

《回忆鲁迅先生》　萧红 / 著

《人民文豪鲁迅》　平心 / 著

《亡友鲁迅印象记》　许寿裳 / 著

《鲁迅思想研究》　何干之 / 著

《鲁迅研究》　夏征农 / 编

《过来的时代：鲁迅论及其他》　雪峰 / 著

《电影戏剧表演术》　洪深 / 著

《日常心理漫谈》　［美］约瑟夫·查斯特罗著 / 曾宝葹译

《心理常识漫话》　朱智贤　杨云美 / 著

《读书的方法与经验》　王任叔 / 著

《美国黑人生活纪实》　［美］加德维尔　斯坦倍克著 / 董秋斯译

《初访美国》　费孝通 / 著

《事业与成功》　［美］马尔腾著 / 汪原放译

《萍踪寄语（初集）》　韬奋 / 著

《一生的幸福前途——〈生活周刊〉信箱选集》　生活书店 / 编选

《深刻的印象》　生活周刊社 / 编

《海外的感受》　生活书店编译所 / 编